Deutschlands wilde Tiere

Ekkehard Ophoven

Deutschlands wilde Tiere

Wo Adler, Luchs und Biber leben

KOSMOS

8 Zum Geleit
von Haymo G. Rethwisch

9 Wilde Tiere ganz in unserer Nähe
Eine Auswahl aus der Vielfalt
Jedes Tier ist einzigartig
Erfolgreich schützen, was wir lieben

Lebensraum Wald 12

Fuchs 32
Fabelwesen und Tausendsassa

14 Rothirsch
Stimmgewaltiger König des Waldes

Schwarzstorch 36
Verehrt, verfolgt und viel gereist

18 Wildschwein
Schlau, sozial und selbstbewusst

Dachs 38
Graben, graben, graben …

20 Schwarzspecht und Buntspecht
Meister des Höhlenbaus

Uhu und Waldkauz 40
Mit der Nacht im Bunde

22 Wolf, Luchs und Braunbär
Die Rückkehr der großen Räuber

Schreiadler 42
Auf Schusters Rappen unterwegs

30 Hirschkäfer
Kampfstarker Käferkoloss

Lebensraum
Wiese und Feld 44

Kreuzspinne 58
Sie wickelt jeden ein

46 Feldhase
Flink und fruchtbar

Feldhamster 60
Ein Nager, der gern „dicke Backen" macht

48 Zauneidechse und Kreuzotter
In die Sonne verliebt

Rebhuhn, Brachvogel 62 und Kiebitz
Wackere Wiesenbrüter

50 Reh
Naschhaftes Anpassungsgenie

Steinkauz 66
Götterbote in Menschennähe

56 Schwalbenschwanz
Von der Puppe zum Gipfelstürmer

Kranich 68
Tänzer vor dem Herrn ...

Lebensraum
70 Alpen

72 Murmeltier
Winterschläfer mit Pfiff

74 Auerhuhn und Birkhuhn
Um die Gunst der Damen bemüht

Kolkrabe 78
„Fliegendes Kreuz" mit hohem IQ

76 Steinadler
Herrscher des Himmels

Alpensteinbock und Gämse 80
Leichtfüßige Extremkletterer

Lebensraum
Küste und Meer 84

Auster 98
Harte Schale, weicher Kern

86 Vogelparadies Wattenmeer
Enten, Gänse, Limikolen …

Schweinswal 100
Flipper vor unseren Küsten

90 Seehund und Kegelrobbe
Begnadete Taucher mit großem Appetit

Einsiedlerkrebs 102
Hausbesetzer auf dem Meeresgrund

96 Seestern
Überlebensgenie mit fünf Armen

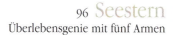

Fische im Wattenmeer 104
Kinderstube der Flossenträger

Lebensraum
108 Dorf und Stadt

110 Turmfalke und Wanderfalke
Pfeilschnell durch die Lüfte

112 Siebenschläfer
Streitbarer Klettermax

Steinmarder und Iltis 118
Flinke Räuber auf nächtlicher Jagd

114 Weißstorch
Klappern gehört zu seinem Handwerk

Haussperling 120
Hansdampf in allen Gassen

124 Igel
Stachelritter mit turbulentem Liebesspiel

Waschbär 128
Neubürger auf dem Vormarsch

126 Großer Abendsegler
Mit Ultraschall auf Beutefang

Lebensraum
130 Seen und Flüsse

132 Biber
Er staut das Wasser, wie's ihm passt

134 Grasfrosch und Gelbbauchunke
Ohne Wasser geht es nicht

Mosaikjungfer und Prachtlibelle 148
Schillernde Schönheiten auf mörderischer Patrouille

138 Graureiher
Sushi ist sein Leibgericht

Wasseramsel 150
Wie ein Fisch mit Federn

140 Lachs und Forellen
Wanderer zwischen den Welten

Flusskrebs 152
Krebsriese mit heikler Verwandtschaft

142 Fischadler und Seeadler
Meister im Zupacken

Fischotter 154
Wendiger Wassermarder

Deutsche Wildtier Stiftung 156
Eine Stimme für unsere Wildtiere

Register zu den Tierarten 158

▲ Nur wer genau hinsieht, entdeckt ihn auch tagsüber einmal: den Waldkauz.

Zum Geleit

Kein Wald gleicht dem anderen: Sommergrüne Eichen- und Buchenwälder, Nadel- und Auenwälder haben einen sehr unterschiedlichen Charakter. Das Wort „Wald" leitet sich aus dem urgermanischen Wort „waltus" ab und bedeutet im übertragenen Sinne „Wildnis". Der Wald ist dabei mehr als nur eine Ansammlung von Bäumen! Zu ihm gehören auch viele Pflanzen und wilde Tiere.

Die Schönheit unserer heimischen Landschaften ist aber nicht nur durch die Flora und Fauna der Wälder, sondern auch durch vom Menschen bearbeitete Wiesen und Felder entscheidend geprägt. Forstwirtschaftliche Nutzung sowie Ackerbau und Viehzucht haben immer wieder für Veränderungen im Landschaftsbild gesorgt. Alle diese Landschaften sind wunderschöne Lebensräume für faszinierende Wildtiere.

Obwohl unser Land dicht besiedelt ist, hat der Natur- und Umweltschutz Erfolgsgeschichten geschrieben: Seeadler stehen nicht mehr auf der Roten Liste der vom Aussterben bedrohten Arten, immer mehr Kraniche kommen zum Überwintern nach Deutschland und sogar der Wolf lebt heute wieder in unseren Wäldern. Trotzdem gibt es nach wie vor Probleme: Dazu gehört die Zerschneidung der Landschaften durch Verkehrswege. Ein Beispiel dafür ist der Fischotter. Er ist zwar in unsere Flüsse zurückgekehrt, doch leider bleibt er immer häufiger als Verkehrsopfer auf der Strecke. Auch die Landwirtschaft spielt eine Rolle. Je einseitiger die Flächennutzung ist, je stärker gedüngt wird, desto weniger Lebensraum bleibt für die Wildtiere übrig.

Die Menschen in unserem Land haben seit jeher eine enge Beziehung zur Natur und den heimischen Wildtieren. Doch leider hat das Interesse und Wissen in den letzten Jahren abgenommen. Viele Kinder können heute mehr Handy-Klingeltöne unterscheiden als Vogelstimmen, und sie halten den Eisbären „Knut" für ein Kuscheltier. Auch das Bild, das Erwachsene von der Natur haben, ist nicht selten verzerrt. Heimische Wildtiere sind heute vielen Menschen unbekannt. Unser Leben spielt sich vermehrt in vier Wänden ab und oftmals wird die Reise in exotische Länder dem Heimaturlaub vorgezogen. So ist auch das Wissen über Natur in Deutschland eher dürftig.

Direkte Erlebnisse und Erfahrungen mit Natur wirken dieser Wissenserosion entgegen. In Klepelshagen in Mecklenburg-Vorpommern gibt es beispielsweise *Wildtierland*: Das Naturerlebnisprojekt der *Deutschen Wildtier Stiftung* lädt Besucher zu geführten Exkursionen und Wanderungen ein, um ihnen die Schönheit unserer heimischen Landschaften wieder nahezubringen.

Wer weiß heute noch, wie erdig der Waldboden nach einem Gewitterregen duftet und wie schön Blumenwiesen sind? Wer einen Feldhasen draußen gesehen hat, vergisst nie wieder, dass seine Ohren viel länger sind als die des Kaninchens. Auch Rothirsche und Rehe lassen sich leichter unterscheiden, wenn man sie einmal erlebt hat.

Wie faszinierend unsere heimischen Wildtiere sind und wie wunderschön die Landschaften, in denen sie leben, zeigt dieser Bildband. *Deutschlands wilde Tiere* ist ein Augenschmaus und Lesegenuss, der dazu anregt, die Wanderschuhe anzuziehen und Natur wieder hautnah zu erleben. Deshalb freuen wir uns, dass dieses Buch im renommierten Kosmos-Verlag erscheint, der sich seit Jahrzehnten mit seinem Programm für die Natur engagiert.

Haymo G. Rethwisch

Stifter und Vorstand der *Deutschen Wildtier Stiftung*

Wilde Tiere ganz in unserer Nähe

"Deutschlands wilde Tiere" – da mag sich manch einer verwundert die Augen reiben. Das klingt beinahe so befremdlich wie "Die Eisbären der Sahara" oder "Arktische Elefanten". Deutschland – ein Land der Tiere?
Wer verbindet unsere hochindustrialisierte Heimat, in der fast 230 Menschen auf einem Quadratkilometer leben, mit Tieren, noch dazu "wilden"? Sind wir nicht seit Bernhard Grzimeks und Heinz Sielmanns Reportagen und vielen anderen faszinierenden Tierdokumentationen der Meinung, dass die Tierparadiese dieser Erde in Afrika, auf den Galapagos-Inseln und in Kanada liegen? Dass es bei uns dagegen eigentlich nur Städte, Fabriken und Autos gibt?
Wer so denkt, irrt gewaltig. Das zeigt dieser Bildband. So abwechslungsreich und schön, wie sich unsere Landschaften von Nord- und Ostsee bis zu den Hochlagen der Bayerischen Alpen präsentieren, so unterschiedlich und faszinierend sind die Tiere, die in ihnen leben. Und das zum Teil sogar mitten unter uns, in den Städten und Dörfern.

Eine Auswahl aus der Vielfalt

Die Vielfalt unserer heimischen Tierwelt ist so groß, dass es ganz unmöglich ist, sie in einem Buch auch nur annähernd vollständig und angemessen darzustellen. So musste eine Auswahl getroffen werden: von unserem mächtigsten Landsäugetier, dem Rothirsch, und den großen Räubern wie Bär und Wolf über den kleinen Siebenschläfer und das Rebhuhn bis hin zu Forelle, Flusskrebs und den prächtigen Libellen. Diese Auswahl soll ein Querschnitt durch das Spektrum unserer

▲ Wölfe auf dem Vormarsch – kaum ein anderes Tier steht so für Wildheit wie die grauen Jäger. Sie streifen seit einigen Jahren zum Glück auch wieder durch Deutschland.

▲ Rebhühner sind einzigartige „Perlen" unserer Heimat. Sie leben in Feld und Flur und sind immer als Gruppe unterwegs.

Tierwelt sein, wobei manche Tiere wie der Luchs gleichsam auch stellvertretend für nahe verwandte Arten wie die Wildkatze stehen. Darüber hinaus spiegelt sie auch die Verschiedenartigkeit der Lebensräume unserer Heimat und ihrer Bewohner wider. So besitzt der Wald einen ganz anderen Charakter als Wiesen und Felder, die es ohne den Landbau treibenden Menschen nicht gäbe. Die mächtigen Felsformationen der Alpen sind ebenso einzigartig wie die Küstenlandschaften und Meere im Norden unseres Landes. Und auch Bäche, Flüsse und Seen sind Lebensräume besonderer Art mit ebenso besonderen Bewohnern. Selbst unsere eigenen Hochburgen, unsere Dörfer und sogar die großen Städte, sind für viele Tiere zur Wohnstätte geworden.
Freilich lassen sich nicht alle immer eindeutig einem einzigen Lebensraum zuordnen, wie es zum Beispiel für den Feldhamster, den Seehund oder den Steinbock der Fall ist. Denn das Reh oder der Kolkrabe sind regelrechte Anpassungskünstler und fühlen sich deshalb durchaus in unterschiedlichen Landschaften wohl. Sie wurden dennoch jenem Lebensraum zugeordnet, für den sie eine besondere Vorliebe zeigen oder auch typisch sind.

Jedes Tier ist einzigartig

In Film und Fernsehen haben „wilde" Tiere meist lange Eckzähne oder krumme Schnäbel und scharfe Krallen. Weniger spektakuläre Arten versprechen niedrigere Einschaltquoten und gelangen daher deutlich seltener in unsere Fernsehstuben. Deshalb zeigt dieser Bildband ganz bewusst, wie faszinierend auch die Auster, der Igel und sogar der Haussperling oder Spatz sein können – und dass sie unser Interesse mehr als verdient haben. Oder ist es etwa nicht verblüffend, dass die Auster im Lauf ihres Lebens das Geschlecht wechselt, die Zahl der Stacheln auf dem kleinen Igelrücken in die Zigtausende geht und der Spatz schon so lange gemeinsam mit uns Menschen lebt, dass niemand genau sagen kann, wo er eigentlich ursprünglich herkam?
Eines unserer häufigsten Wildtiere, das Reh, lebt in nahezu jedem Wäldchen und Feldgehölz des Landes – geschätzte zwei Millionen sind es insgesamt. Und doch halten viele Menschen den Rehbock für das Weibchen des Rothirsches ... Solche verbreiteten Irrtümer aufzuklären und dabei auch spannendes Wissen über die Lebensweise und Besonderheiten der Tiere zu vermitteln, ist ein weiteres Anliegen dieses Buches. Wenn das dann Begeisterung für all die behaarten, gefiederten, geschuppten und gepanzerten Mitgeschöpfe weckt, hat es seinen Hauptzweck voll und ganz erfüllt.

◀ Links: Seehunde gibt es an der Nord- und Ostseeküste zu sehen, wenngleich sie in der Ostsee seltener sind.

Rechts: Der Feldhamster stammt ursprünglich aus Osteuropa – lebt aber bereits seit über 2000 Jahren bei uns.

Erfolgreich schützen, was wir lieben

Deutschlands Tierwelt ist unüberschaubar groß und einzigartig. Damit das so bleibt, sollten wir sehr bewusst und sorgfältig mit ihr und ihren Lebensräumen umgehen. Oft genug war das in der Vergangenheit nicht der Fall, wie traurige Beispiele belegen. Nicht zuletzt ist auch dadurch unser Bewusstsein für den Reichtum und die Empfindlichkeit unserer Natur glücklicherweise heute wieder etwas wacher.

Die *Deutsche Wildtier Stiftung* und andere Naturschutzorganisationen setzen sich engagiert dafür ein, dass die Nöte und Belange unserer Tiere nicht unter die Räder rein wirtschaftlicher Interessen geraten. Mit konkreten Schutzprojekten helfen sie immer wieder gezielt vor allem jenen Arten, die ohne solche Maßnahmen nicht überleben könnten.

Die Bemühungen der vergangenen Jahrzehnte tragen bereits Früchte: So können wir uns heute immer häufiger an den früher seltenen Wanderfalken und Seeadlern oder Schwarzstörchen erfreuen – und selbst der Wolf kehrt zu uns zurück. Mehr denn je können wir uns von ihnen faszinieren lassen: von Deutschlands wilden Tieren.

▼ Eine Erfolgsgeschichte des Artenschutzes: Einst vom Aussterben bedroht, gibt es den pfeilschnellen Wanderfalken heute wieder häufiger.

Lebensraum Wald

Der Wald ist weit mehr als eine „Ansammlung vieler Bäume". Gerade in Deutschland ist er Mythos – Schauplatz geheimnisvoller Legenden und Märchen. „Rotkäppchen" ist hier zu Hause, aber auch Feen, Gnome und Kobolde. Kein anderer Lebensraum berührt unsere Seele so sehr wie der Wald. So ist er Fantasie- und Lebensraum in einem und ein Garant für die Vielfalt der Natur: Dort begegnen wir dem mächtigen Rothirsch und dem schlauen Fuchs, dem lautlosen Waldkauz und dem heimlich lebenden Schwarzstorch. Das borstige Wildschwein wühlt nach Eicheln und Bucheckern und nimmermüde trommelt der Schwarzspecht gegen mächtige Bäume. Mit einer Portion Glück erhaschen wir sogar einen flüchtigen Blick auf den faszinierenden Luchs.

◂ Immer wachsam – das borstige Wildschwein ist ein typischer Waldbewohner.

▲ Der König des Waldes prahlt mit seinem mächtigen Geweih.

Der Rothirsch
Stimmgewaltiger König des Waldes

Die mächtige Erscheinung, eine markerschütternde Stimme und der beeindruckende Kopfschmuck sind die Zeichen der Königswürde, mit denen „Seine Majestät" ihren Herrschaftsanspruch untermauert. Edelhirsch wird das größte frei lebende Wildtier Mitteleuropas respektvoll auch genannt – und wohl kein Beobachter vermag sich seiner Faszination zu entziehen.

■ Schon vor der zweiten Eiszeit zog der Rothirsch seine Fährte in Deutschland, wie rund 500 000 Jahre alte Funde von Geweihstangen belegen. Während die folgenden Vereisungsphasen für viele Tierarten das Aus bedeuteten, überstand der „König des Waldes" sie problemlos. In den Kältesteppen, denen die damaligen Wälder vor dem herannahenden Eis weichen mussten, blühte er regelrecht auf. Dass er von der Natur eigentlich für offenes und weites Gelände geschaffen wurde und lange Strecken zurückzulegen vermag, belegen seine kräftigen Beine, seine große Ausdauer und ein im Vergleich zu anderen wild lebenden Huftieren sehr gut entwickeltes Sehvermögen.

▲ „Nachwuchs-Monarchen": Jüngere Männchen schließen sich zeitweise in Rudeln zusammen.

In Europa reicht das Herrschaftsgebiet des Waldkönigs heute von Norwegen bis ans Schwarze Meer. Hier lebt der einstige Steppenbewohner bevorzugt in großen Wäldern. In Deutschland gibt es kaum eine Landschaft, die ihm nicht zusagt: Im norddeutschen Flachland regiert er ebenso wie in den Mittelgebirgen und in den Alpen bis auf über 2000 Meter Höhe.

Leben in der Gemeinschaft

So einsam wie bei manchen menschlichen Monarchen ist es um den Rothirsch nicht. Im Gegenteil: Wie kaum eine andere Tierart pflegt er, nach Geschlechtern getrennt, das Leben unter seinesgleichen. Unzertrennlich ist das Dreigestirn aus Muttertier, neugeborenem Kalb und einjährigem Nachwuchs. Zahlreiche solcher „Kleinfamilien" schließen sich in sogenannten Kahlwildrudeln zusammen. In manchen Regionen können solche Ansammlungen mehr als 100 Tiere umfassen.

Leittier – und somit unumstrittene Chefin des Rudels – ist eine erfahrene ältere Hirschkuh. Sie spielt eine herausragende Rolle im Zusammenleben, bestimmt und „organisiert" das gesamte Tun: So führt sie das Rudel beispielsweise zu den Weideflächen und sondiert die Lage vor Verlassen der schützenden Deckung. Leittier darf jedoch nur sein, wer auch Mutter ist. Verliert die Anführerin aus irgendwelchen Gründen ihr Kalb, muss sie den Chefinnensessel räumen.

Die jungen männlichen Tiere verlassen Mutter und Rudel im Alter von zwei bis drei Jahren und schließen sich dann mit ihren Geschlechtsgenossen zusammen. Solche Männergesellschaften bestehen vorwiegend aus Jünglingen oder älteren Semestern. Diese Hirschrudel halten weniger eng zusammen als die des Kahlwildes und ändern sich mitunter fast täglich. Steht im Spätsommer die Paarungszeit, die Brunft, vor der Tür, lösen sie sich vollständig auf.

◀ Eine Hirschkuh säugt ihr Kalb: Weiße Tiere kommen immer wieder einmal vor.

Brunft – „Hohe Zeit" der Hirsche

Jetzt wird der König des Waldes von Unruhe erfasst. Er verlässt sein Wohngebiet und wandert zu den Aufenthaltsorten der Hirschkühe, um sich seinen Harem zu sichern. Weithin hörbar künden dann die gelegentlichen Rufe suchender Hirsche vom Beginn eines unvergleichlichen Naturschauspiels: der „Hohen Zeit" der Hirsche.

Nur erfahrene und starke Männchen sind in der Lage, ein großes Brunftrudel aus weiblichen Tieren zusammenzuhalten und zu verteidigen – junge Hirsche sind dagegen chancenlos. Ein Platzhirsch hat einen „Fulltime-Job", denn er bewacht sein Brunftrudel eifersüchtig rund um die Uhr. Kilometerweit sind die markerschütternden Schreie zu hören, mit denen er seinen Besitzanspruch gegenüber Nebenbuhlern verkündet. Ausreißversuche einzelner Hirschkühe unterbindet er despotisch, die Übernahme des Rudels oder ein Abwerben einzelner Tiere durch Rivalen wehrt er meist erfolgreich ab.

▲ Geweihkämpfe finden während der Paarungszeit nur zwischen annähernd gleich starken Hirschen statt.

Weibliche Tiere im Schnee: Harte Winter machen unseren größten Landsäugern zu schaffen.

Nur selten muss er sich dazu auf einen Kampf einlassen. Jüngere und körperlich unterlegene Nebenbuhler bringt er allein mit seiner mächtigen Stimme zur Räson. Mehr Arbeit machen aber annähernd gleich starke Konkurrenten, die das Feld nach einem ausgedehnten „Rufduell" nicht räumen. Jetzt geht es Aug' in Auge weiter: Die Rivalen marschieren im Stechschritt aufeinander los und laufen dann oft minutenlang parallel nebeneinander her, um den Gegner von der eigenen Überlegenheit zu überzeugen. Bringt auch dieses Imponierritual keine Entscheidung, kommt es zum direkten Kräftemessen, dem Kampf mit den Geweihen. Kopf an Kopf, Geweih an Geweih versuchen beide Hirsche, ihr Gegenüber wegzuschieben. In der Regel verlaufen solche Kämpfe unblutig und enden mit der Aufgabe des schwächeren Kontrahenten. In Ausnahmefällen kommt es allerdings zu – manchmal sogar tödlichen – Verletzungen.

In der Brunftzeit zahlt es sich aus, dass die Hirsche zuvor Fettreserven angelegt haben, denn wenn die Liebe ruft, ruhen und fressen sie über

Wochen kaum: Zehn bis 20 Prozent Gewichtsverlust während der Brunft sind nicht ungewöhnlich. Ein Teil des Energievorrats wird allerdings schon vor der Brunft aufgezehrt, denn vom Frühjahr bis zum Sommer renoviert der Waldkönig seine Krone. Das mächtige Geweih, das in unseren Breiten fünf, in anderen Lebensräumen sogar über zehn Kilogramm Gewicht erreichen kann, ist in dieser Zeit von einer samtigen Haut überzogen. Dieser sogenannte Bast stirbt nach Vollendung des Geweihs ab und wird an Sträuchern und schwächeren Bäumchen „abgefegt". Fast schon verschwenderisch mutet es da an, dass der eindrucksvolle Kopfschmuck am Ausgang jeden Winters wieder abgeworfen wird. Zumal bis zum Alter von zehn bis 15 Jahren jedes Geweih in aller Regel noch üppiger und mächtiger ausfällt als das des Vorjahres.

Der König braucht ein großes Reich

Nicht immer erfuhr der Edelhirsch hierzulande eine königliche Behandlung: Aus Sorge um wirtschaftliche Schäden im Wald beschränkte der Mensch seinen Lebensraum auf isolierte Rotwildgebiete. Straßen, Bahntrassen und Siedlungsflächen unterbinden seine einst typischen Wanderungen zwischen Sommer- und Winterlebensräumen weitgehend.

Zum Glück zeigt sich endlich ein Silberstreif am Horizont: Namhafte Organisationen wie die *Deutsche Wildtier Stiftung*, der *Naturschutzbund Deutschland*, der *World Wildlife Fund* und die *Rotwild AG Deutschland* haben sich der Not der Rothirsche und ihrer Interessen engagiert angenommen. Ihre Forderungen nach einer Vernetzung der Lebensräume durch Wildtierkorridore und Querungshilfen beim Bau neuer Verkehrswege finden zunehmend Gehör. Und wecken die Hoffnung, dass der König des Waldes auch in Deutschland bald wieder ein Reich sein Eigen nennen darf, das diese Bezeichnung auch verdient.

Rothirsch *(Cervus elaphus)*

KÖRPERMERKMALE
Hirsch (Männchen): Gesamtlänge 160-250 cm, Schulterhöhe 120-150 cm, Gewicht 70-200 kg
Kuh (Weibchen): Gesamtlänge 150-200 cm, Schulterhöhe 100-125 cm, Gewicht 60-90 kg

NAHRUNG
Gräser und Kräuter, Zweige, Blätter und Triebe von Bäumen, Baumrinde

ALTER
18-20 Jahre

◀ Der Pascha bewacht eifersüchtig seinen Harem – und gibt lautstark seine Ansprüche kund.

Das Wildschwein
Schlau, sozial und selbstbewusst

Sie wühlen sich durch Wälder und Felder, leben in den Schilfgürteln von Flüssen und Seen und sind selbst in den Parks und Gärten Berlins keine Seltenheit mehr. Clever nutzen die wilden Vettern unserer Hausschweine ihre Vorteile und erobern Zug um Zug die Republik.

■ Schon in der Antike galten sie als Sinnbild für Unbezähmbarkeit und urwüchsige Wildheit: Nur der strahlende Held und Halbgott Herakles war in der Lage, dem zerstörerischen Wüten des „Erymanthischen Ebers" in den Feldern Arkadiens Einhalt zu gebieten, wie die griechische Mythologie berichtet. Und auch heute kommen die „wilden Schweine" in allen Teilen unseres kultivierten Landes hervorragend zurecht.

Überall finden die urigen Borstentiere Fressbares, denn wählerisch sind sie nicht. Weiden und Wiesen durchpflügen sie auf der Suche nach Insekten und Mäusen, im Wald wühlen sie nach den Früchten der Bäume. Unterirdische Pilze erschnüffelt ihre feine Nase auch in größeren Tiefen –

▲ Wildschwein-Nachwuchs im Streifenkleid. Das Muster verliert sich mit knapp zwei Monaten.

nicht umsonst lässt man ihre gezähmten Verwandten nach Speisetrüffeln suchen. Liegen einmal Vogeleier oder ein neugeborenes Rehkitz am Weg, sind auch diese willkommene Leckerbissen.

Soziales Leben im Paradies

Auch vor Feldfrüchten machen Wildschweine nicht Halt. Kartoffeläcker, Weizenschläge und die immer größer werdenden Maisflächen bescheren ihnen paradiesische Zustände. Da in den Wäldern außerdem aufgrund der heutigen Klimaentwicklung Eicheln und Bucheckern viel häufiger als früher reifen, leben die Borstenträger in Saus und Braus. So eine vielfältige und reichhaltige Nahrung wissen sie zu nutzen – denn sie vermehren sich munter. „Minderjährige" Weibchen sind nicht selten schon am Ende ihres Geburtsjahrs zur Paarung bereit. Und da eine wohlgenährte Bache, wie man die weiblichen Tiere auch nennt, mitunter acht bis zehn Junge zur Welt bringt, kann sich die Anzahl der Wildschweine in einem Gebiet innerhalb eines Jahres im Extremfall vervierfachen.

Der gestreifte Nachwuchs wächst wohlbehütet auf, denn Wildschweine leben sozial wie kaum ein anderes Wildtier. In einer sogenannten Rotte tummeln sich miteinander verwandte Bachen und ihre Frischlinge. An der Spitze der strengen Rangordnung steht die älteste und erfahrenste Bache. Sie bestimmt sämtliche Aktivitäten der Gemeinschaft – sogar den Zeitpunkt, an dem alle Bachen paarungsbereit sind. Der männliche Nachwuchs dagegen muss sich mit etwa eineinhalb Jahren abnabeln und vagabundiert dann oft gemeinsam durch die Lande. In höherem Alter werden die Männer zu Einzelgängern: Gestandene Keiler suchen nur zur Paarungszeit die Damengesellschaften auf. Dann aber liefern sie sich erbitterte Auseinandersetzungen um deren Gunst.

Risiken gehen Wildschweine aus dem Weg: Munter sind sie fast nur im schützenden Dunkel der Nacht, tagsüber ruhen sie versteckt. Ihre bemerkenswerte Lernfähigkeit verhindert, dass ihnen ihr einziger Feind, der Mensch, allzu oft und dicht auf die Schwarte rückt. Tut er es trotzdem, steht er einem ernst zu nehmenden Gegner gegenüber: Mit dem Rücken zur Wand verteidigen Bachen ihre kleinen Frischlinge erbittert, und auch ein oft zentnerschwerer Keiler weiß sich mit seinen rasiermesserscharfen Eckzähnen wohl zu wehren.

Dass die Wildschweine seit vielen Jahren in ganz Europa auf dem Vormarsch sind, kann also nicht weiter verwundern: Die pfiffigen Borstentiere bringen einfach alles mit, was zum Überleben in dieser Welt nötig ist.

Wildschwein *(Sus scrofa)*

KÖRPERMERKMALE
Keiler (Männchen): Gesamtlänge 140-200 cm, Schulterhöhe 70-110 cm, Gewicht 70-180 kg
Bache (Weibchen): Gesamtlänge 130-170 cm, Schulterhöhe 60-100 cm, Gewicht 50-100 kg

NAHRUNG
Allesfresser: vorwiegend pflanzliche Nahrung, aber auch Insekten, Mäuse, kleine Säuger und Aas

ALTER
10-12 Jahre

▼ Links: Gerne dringt eine Rotte auf der Suche nach Nahrung auch in umliegende Felder und Wiesen ein ...
Rechts: Bis zu zehn Junge kann ein Weibchen werfen.

Der Schwarzspecht
Zimmermann mit sozialem Gewissen

Schwarzspecht
(Dryocopus martius)

KÖRPERMERKMALE
Gesamtlänge 40-46 cm; Flügelspannweite 65-70 cm; Gewicht 260-340 g

NAHRUNG
Eiweißreiche tierische Kost: große Ameisen, holzbewohnende Insekten, deren Larven und Puppen; auch Beeren, Früchte und Samen

ALTER
7-10 Jahre

Wenn der schwarze Vogel mit dem roten Schopf aktiv wird, ist es um die Stille des Waldes geschehen. Laute Trommelwirbel zeugen von der emsigen Suche des Schwarzspechtes nach Insekten in sterbenden oder toten Bäumen – und vom Zimmerhandwerk eines leidenschaftlichen Höhlenbauers.

■ Mehr als zehn Mal pro Sekunde schlägt sein kräftiger Schnabel zu, wenn er Ameisen und Käfern unter der Rinde und im Holz alter Bäume zu Leibe rückt. Wie festgeklebt hängt er dabei senkrecht am Baumstamm – möglich machen das seine für die meisten Spechte typischen Kletterfüße mit zwei nach vorne und zwei nach hinten gerichteten Zehen. Auch der kräftige Schwanz hilft dabei: Mit ihm stützt sich der Schwarzspecht am Stamm ab. Der Spechtschädel ist so pfiffig konstruiert, dass die wilde Trommelei seinem Gehirn wenig anhaben kann und er kein „Kopfweh" bekommt. Ameisen und ihre Larven sind das ganze Jahr hindurch seine Leibspeise. Selbst strenger Frost und hohe Schneelage hindern ihn nicht daran, die Wohnhügel der kleinen Krabbeltiere zu durchwühlen.

▲ Der „Rotgescheitelte" schaut aus seiner Höhle. Viele Tierarten profitieren von seiner „Zimmermannstätigkeit".

◀◀ An senkrechten Baumstämmen zu landen, ist für den Schwarzspecht ein Kinderspiel.

Hämmern, bis die Späne fliegen

Der fast krähengroße Vogel ist ein wahrer Meister des Höhlenbaus. Eifrig einander umwerbend, meißeln Männchen und Weibchen gemeinsam im Frühjahr eine über 60 Zentimeter tiefe Bruthöhle in die Stämme alter Bäume, meist in mehr als zehn Metern Höhe. Zwei bis sechs Jungvögel ziehen sie darin groß. Auch die Nacht verbringen Schwarzspechte im Schutz solcher ausgedienter Brut- oder eigens gezimmerter Schlafhöhlen. Für ihr umtriebiges Handwerk braucht es mächtige Bäume – und so leben die eifrigen Zimmermänner vorzugsweise in alten Mischwäldern.

Dass der größte unserer Spechte unermüdlich die Späne fliegen lässt, ist für zahlreiche andere Tierarten ein Segen: Insekten, Vögel und kleine Säugetiere – mehrere Dutzend heimische Arten nutzen Schwarzspechthöhlen als „Nachmieter". Darunter auch gefährdete Fledermausarten, die ohne den emsigen Wohnungsbauer wohl endgültig zum Aussterben verurteilt wären.

Der Buntspecht
Trommeln, was das Zeug hält ...

Er ist zwar nur halb so groß wie sein schwarzer Vetter, trägt dafür aber ein umso auffälligeres Kleid. Mit Rot, Weiß und Schwarz in munterem Wechsel macht der Buntspecht seinem Namen alle Ehre. Und im Trommeln ist er unschlagbar – bis zu fünfzehn Mal pro Sekunde lässt er seinen Schnabel niedersausen und belegt damit den Spitzenplatz unter allen Spechtarten! Sein Hämmern ist immer wieder auch in Städten zu hören, denn der Buntspecht fühlt sich auch in unseren Parkanlagen wohl. Er ist ohnehin kaum auf einen bestimmten Lebensraum festgelegt. In Laub- und Nadelwäldern lebt er ebenso wie in kleinen Gehölzen oder auch Alleebäumen.

Seine Ernährung ist äußerst vielseitig: In der wärmeren Jahreszeit lebt er wie andere Spechtkollegen überwiegend von Insekten und deren Larven, die er unter der Rinde und im Holz von Bäumen findet. Manchmal aber öffnet er auch die Bruthöhlen anderer Kleinvögel und verspeist deren Eier oder sogar die Jungen. Doch versteht er sich nicht nur aufs Hacken, sondern stochert auch in Spalten und Höhlen nach Fressbarem herum. Wird im Winter das Insektenangebot knapp, stellt sich der Buntspecht auf Nüsse, Beeren und Samen um. Typisch sind seine sogenannten Spechtschmieden: eigens angelegte Astlöcher, in denen er Zapfen, Nüsse und hart gepanzerte Käfer einklemmt, um sie zu knacken und zu bearbeiten.

Auch der kleine bunte Verwandte des Schwarzspechtes zimmert eifrig Brut- und Schlafhöhlen, die später andere Höhlenbewohner beziehen. So ist zum Beispiel der seltene Sperlingskauz fast vollständig auf verlassene Buntspechthöhlen angewiesen.

Buntspecht
(Dendrocopos major)

KÖRPERMERKMALE
Gesamtlänge 22-25 cm; Flügelspannweite 35-42 cm; Gewicht 60-90 g

NAHRUNG
Insekten und deren Larven; Beeren, Baumsamen; gelegentlicher Nesträuber

ALTER
6-8 Jahre

Der Wolf
Der graue Jäger kommt zurück

Ohne ihn gäbe es weder Dackel und Schäferhund noch Pudel oder Spitz – er ist der Urahn aller Hunde. Dennoch wurde der Stammvater unserer Lieblingshaustiere über viele Jahrhunderte so gnadenlos verfolgt, dass er schließlich ausgerottet war. Nachtragend scheint der Wolf nicht zu sein: Denn vor einigen Jahren kehrte er zu uns zurück.

■ Ein schlechterer Leumund, als dem Wolf über Jahrhunderte anhaftete, ist kaum denkbar: Ganze Generationen lernten ihn bereits im Kindesalter fürchten, wenn er in der abendlichen Märchenstunde den drei kleinen Schweinchen nachstellte, das Rotkäppchen samt Großmutter oder die sieben Geißlein fressen wollte. Und sogar im Kino oder Fernsehen musste er den bösen Buben spielen.

Erwähnenswerte Gegenbeispiele sind bis heute leider rar gesät: Der Sage nach wurden die Zwillinge Romulus und Remus, die Gründer Roms, als

▲ Prüfender Blick vom Urahn unserer Hunde. Wird er auch bei uns wieder mehr Lebensraum finden?

Neugeborene von einer Wölfin gesäugt. Und in Rudyard Kiplings weltberühmtem *Dschungelbuch* sind es Wölfe, die den kleinen Mowgli großziehen – bevor er mit Bär Balu und Panther Baghira seine Abenteuer besteht.

Vom Partner zum verhassten Feind

In vergangenen Zeiten wurde der graue Jäger durchaus verehrt: Er war das erste Tier, mit dem die Urzeitmenschen eine „Interessengemeinschaft" gründeten. Ob die Vierbeiner dabei Putzkolonne spielten und die Lager der Zweibeiner von Abfällen befreiten oder ob beide Parteien sogar gemeinsam jagten, ist unklar. Erst als der Mensch sesshaft wurde, schlug der Respekt in Feindschaft um: Dass sich „Isegrim" immer wieder Übergriffe auf das Hausvieh erlaubte – weil es einfach leicht zu erbeuten war –, verzeihen ihm die Menschen seitdem nicht mehr.

Leichte Beute braucht der Wolf als variantenreicher Jäger eigentlich nicht. Die viel zitierte, aber kräftezehrende Hetzjagd praktiziert er dabei eher selten und dann vor allem in spärlich bewachsenen und deckungsarmen Landschaften. Häufiger schleicht er seine Beute bis auf kürzeste Distanz an, um sie überraschend anzuspringen und zu überwältigen. Huftiere sind seine bevorzugte Beute: Das sind je nach Lebensraum Rentiere, Elche, verschiedene Hirscharten und Rehe. Auch Wildschweine können ihm zum Opfer fallen, genauso wie Wildschafe oder Steinböcke im Gebirge, kleinere Säuger wie Hasen, Lemminge und Wühlmäuse. Selbst Heuschrecken, Beeren und Obst verschmäht er nicht.

Gemeinsam heulen stärkt das Wir-Gefühl

Typisch ist das Leben im Rudel, mit einer komplexen Rangordnung – sowohl unter den Männchen als auch unter den Weibchen. Unser Wissen darüber stammt allerdings vor allem von Wölfen in Gefangenschaft und ist deshalb nur begrenzt auf wild lebende Tiere übertragbar. Danach stehen an der Spitze der Hierarchie jeweils ein sogenannter Alpha-Rüde und eine Alpha-Wölfin. In der Regel zeugt nur dieses Alpha-Paar die Nachkommen des Rudels. Die vier bis sechs Welpen kommen nach neun bis zehn Wochen Tragzeit im Schutz einer Höhle zur Welt.

Wolf *(Canis lupus)*

KÖRPERMERKMALE
Rüde (Männchen): Gesamtlänge 125-190 cm, Schulterhöhe 70-90 cm, Gewicht 35-65 kg
Fähe (Weibchen): Gesamtlänge 100-135 cm, Schulterhöhe 60-80 cm, Gewicht 25-50 kg

NAHRUNG
Überwiegend fleischlich: Huftiere bis zu Elchgröße, kleine Säuger, Mäuse und Insekten, aber auch Obst und Beeren

ALTER
10-12 Jahre

▼ Links: Auch beim Fressen herrscht eine strenge Rangordnung. Rechts: Im Spiel lernen die Jungwölfe Fähigkeiten, die sie später brauchen.

▼ Das schaurig-schöne Heulen verkündet weithin hörbar den Revieranspruch und stärkt das Gemeinschaftsgefühl.

Wer an Wölfe denkt, denkt an ihr markantes Heulen. Dieser schaurig-schöne Chor erfüllt verschiedene Zwecke: Er festigt den Zusammenhalt des Rudels, stimmt auf das gemeinsame Jagen ein und signalisiert anderen Wolfsrudeln: Hier sind wir zu Hause!

In der Lausitz können wir das typische Wolfsgeheul heute wieder am häufigsten hören – dort, wo 1904 der letzte Wolf getötet wurde. Im Osten Deutschlands ist er wieder heimisch geworden. Mittlerweile kam es auch zu Sichtungen im hessischen Reinhardswald und in Niedersachsen. Die Herkunft des Tieres ist zwar unklar, doch zeigen solche Beobachtungen, dass der Wolf es ernst meint mit der Wiederbesiedlung seiner angestammten Lebensräume. Voraussetzung dafür ist aber, dass der Mensch das Kriegsbeil für immer begräbt – und der graue Jäger auch in unserem Land wieder das Recht auf Leben in freier Wildbahn erhält.

Der Luchs
Auf leisen Sohlen durch die Nacht

Pfotenabdrücke, Reste von gerissener Beute und Kot sind die häufigsten Anzeichen für die Anwesenheit des Luchses. Die scheue und heimlich lebende Katze selbst bekommt man allerdings nur selten zu Gesicht. Doch eines ist sicher: Wie der Wolf, so ist auch der Luchs auf dem besten Weg, sich einige seiner ehemaligen Lebensräume zurückzuerobern.

Diese Katze lebt vor allem in den Mittelgebirgen: im Bayerischen und im Frankenwald, in der Sächsischen Schweiz, im Pfälzer Wald und im Fichtelgebirge, im Harz, im Schwarzwald und auch in den Alpen. Zum Teil wanderten wilde Tiere aus Osteuropa und den Vogesen ein, zum Teil wurden sie aber auch – wie im Harz – gezielt ausgewildert.

Wegen der Haarbüschel an seinen Ohrspitzen heißt der Luchs manchmal auch „Pinselohr". Damit kann er kleinste Geräusche orten: beispielsweise das Rascheln einer Maus noch aus 50 Metern Entfernung. Charakteristisch für sein Äußeres sind außerdem der fransige Backenbart, das hellbraune Fell mit dunkelbraunen Tupfen und nicht zuletzt der katzenuntypische kurze Stummelschwanz, dessen „Nutzen" den Biologen bisher unklar ist.

Rekordverdächtiger Überraschungsjäger

Munter ist Pinselohr vor allem in der Dämmerung und nachts. Den Tag dagegen verschläft er gerne in einem Versteck. In der Dunkelheit jagt der Einzelgänger dann kleine und mittelgroße Säugetiere bis zur Größe junger Wildschweine oder auch Vögel. Den Großteil der Beute stellen jedoch Rehe. Er lauert ihnen auf oder schleicht sich heran, um sie plötzlich anzuspringen. Ist dazu noch ein kurzer Sprint erforderlich, absolviert er diesen

▲ Unsere größte Raubkatze kehrt in ihre angestammten Lebensräume zurück.

mit einer medaillenverdächtigen Spitzengeschwindigkeit von nahezu 70 Stundenkilometern.

In großen, zusammenhängenden Wäldern mit dichtem Unterholz fühlen sich unsere Luchse am wohlsten. Andernorts in Europa und Asien kommen sie jedoch auch in felsigen Gebirgslandschaften bis auf 2500 Meter Höhe, in Niedermooren, in Heidelandschaften und selbst in weitgehend baumlosen Hochebenen vor.

Nach der Katzenhochzeit zwischen Februar und April bringt die Luchsin zwei bis fünf Junge zur Welt, häufig in einer Felshöhle oder unter einem Wurzelteller. Die Jungluchse bleiben bis zum nächsten Frühjahr bei der Mutter und machen sich dann auf die Suche nach einem eigenen Revier. Bleibt zu hoffen, dass kommende Katzengenerationen wieder einen festen und geschützten Platz in unserer Natur erhalten.

Der Luchs (Lynx lynx)

KÖRPERMERKMALE
Gesamtlänge 95-145 cm, Schulterhöhe 50-70 cm; Gewicht: Männchen 20-25 kg, Weibchen 15-20 kg

NAHRUNG
Kleine und mittelgroße Säugetiere bis zur Größe junger Wildschweine, vor allem Rehe; Vögel

ALTER
10-15 Jahre

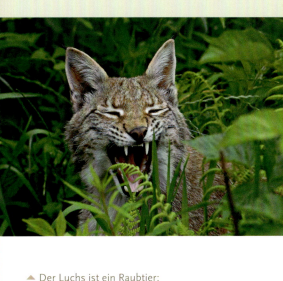

▲ Der Luchs ist ein Raubtier: Die spitzen Zähne zeigen es.

◀ Liebevoll reinigt eine Luchsin ihre Jungen. Warum die Raubkatze auch „Pinselohr" genannt wird, ist gut zu erkennen.

Der Braunbär
Kraftpaket mit Hang zur Schonkost

Bis auf ein kurzes Gastspiel des Medienstars „Bruno" in 2006 hat seit über 170 Jahren kein Braunbär seine Pranken auf deutschen Boden gesetzt. 1835 soll den Quellen nach das letzte Exemplar im bayerischen Ruhpolding erlegt worden sein.

Zu sehr fürchtete die Bevölkerung den Bären als Nahrungskonkurrenten und Gefahr für Leib und Leben – was sich bis heute kaum geändert hat. Und das, obwohl der Allesfresser überwiegend von pflanzlicher Kost lebt und nur selten Tiere erbeutet oder gar Menschen angreift. Dann aber vermag das mächtige Tier mit seinem kräftigen Gebiss, den kräftigen Pranken samt ihren messerscharfen Krallen sogar Elche zu überwältigen – amerikanische Bären erbeuten selbst Bisons. Huftieren bricht er in der Regel mit mächtigen Prankenschlägen den Schädel oder die Wirbelsäule. Oft tötet er sie aber auch durch Bisse in den Hals und die Schulter. Obwohl es plump wirkt, kann das zottige Kraftpaket bei einem Angriff über kurze Strecken sogar bis zu 50 Stundenkilometer schnell werden.

In Europa bewohnt der Braunbär vor allem bewaldete Gebirgsregionen wie den Alpenraum, die Abruzzen und die Pyrenäen. Dort ist der ausgeprägte Einzelgänger im Frühjahr und im Herbst auch tagsüber auf Nahrungssuche, im Sommer überwiegend nachts. In der nahrungsarmen kalten Jahreszeit hält er Winterruhe in einer natürlichen Höhle oder einem selbst gegrabenen Bau. Sie beginnt zwischen Oktober und Dezember und endet zwischen März und Mai.

In diese Zeit fällt auch die Geburt von meist zwei Jungen, die von der Bärin alleine großgezogen werden. Erst mit ein- bis zweieinhalb Jahren werden die Jungbären in die Selbstständigkeit entlassen. Geschlechtsreif werden sie mit rund viereinhalb Jahren. Bis sie vollständig ausgewachsen sind, vergehen noch zehn bis elf Jahre.

In den Wäldern unserer Nachbarländer Österreich und Schweiz streift Meister Petz in geringen Zahlen schon wieder umher. Vielleicht ist es ja nur eine Frage der Zeit, bis er auch uns wieder häufiger besucht. Falls tatsächlich ein Bär auf Wanderschaft wieder einmal deutschen Boden erreicht, gibt es hoffentlich weniger Anlass zu Hysterie und Ablehnung als beim letzten Mal …

◀ In bewaldeten Gebirgsregionen leben die letzten Braunbären Europas.

▶▶ Nur selten duldet eine Bärin mit Jungen Artgenossen in der Nähe.

Der Braunbär
(Ursus arctos arctos)

KÖRPERMERKMALE
Gesamtlänge 1,1-3 m, Schulterhöhe 0,9-1,5 m, Gewicht 70-250 kg (in Südeuropa deutlich leichter) Männchen deutlich größer und schwerer als Weibchen

NAHRUNG
Vorwiegend pflanzliche: Gräser, Kräuter, Schösslinge, Blüten, Wurzeln, Knollen, Nüsse, Pilze, im Sommer und Herbst vor allem Beeren; fleischliche Nahrung: Insekten und deren Larven, Vögel und deren Eier, Nagetiere und andere Kleinsäuger, selten Beute bis Elchgröße

ALTER
20-30 Jahre

Der Hirschkäfer
Kampfstarker Käferkoloss

Wer bei einem Waldspaziergang das seltene Glück hat, dem schwarzbraun schimmernden Hirschkäfer zu begegnen, kann sich unschwer ausmalen, wie er zu seinem Namen kam. Das imposante „Geweih" der Männchen ähnelt in geradezu verblüffender Weise einer Miniaturausgabe des Rothirschgeweihs. Und wie jenes dient auch das Käfergeweih vor allem einem Zweck: als Waffe im Kampf um die Gunst der Weibchen.

▲ Streitbare Kämpfer im Duell um die Gunst eines Weibchens ...

▶▶ Links: ... und der Sieger kommt zum Zug. Nur die Männchen tragen das imposante „Oberkiefer-Geweih". Rechts: Wo alte Bäume noch in Ruhe sterben dürfen, fühlt sich der Hirschkäfer wohl.

■ Schon die alten Germanen zollten dem Hirschkäfer großen Respekt, denn er galt ihnen als heilig. Wer den Käfer fing und riskanterweise in ein Haus brachte, weckte den Zorn des Gottes Donar – von den nordischen Völkern Thor genannt – und zog Blitz und Donner auf sich. „Donnergugi" wird der Hirschkäfer daher auch genannt. Trotz dieser früheren Wertschätzung ist er heute sehr selten. Denn für seine Entwicklung braucht er totes und morsches Holz – und dafür war in unseren intensiv bewirtschafteten Wäldern in den letzten Jahrhunderten immer weniger Platz.

Mindestens fünf Jahre dauert es, bis aus einem winzigen Ei der größte Käfer unserer Heimat wird. Das Weibchen legt nach der Paarung im Spätsommer rund 20 Eier in den Stümpfen und Stämmen sterbender oder toter Laubbäume ab. Wo immer vorhanden, bevorzugt es dafür Eichen. Aus den Eiern entwickeln sich Larven, die sich mit ihren mächtigen Beißwerkzeugen mehrere Jahre von dem toten Holz ernähren. Haben sie eine Länge von rund zehn Zentimetern erreicht, graben sie sich in die Erde und verpuppen sich dort in faustgroßen Kammern. Die fertigen Insekten schlüpfen im Herbst aus den Puppen, bleiben aber bis zum folgenden Frühsommer in der Erde verborgen. Am Ende dieses langen Werdegangs gibt es nur ein kurzes Gastspiel unter freiem Himmel: Nach Verlassen des Verstecks leben die prächtigen Käfer nur noch etwa einen Monat.

Ein Schäferstündchen für den Schultersieg

Diese Zeit gilt es zu nutzen und den Fortbestand der eigenen Art zu sichern. Über sexuelle Lockstoffe in der Luft, sogenannte Pheromone, ziehen die paarungsbereiten Weibchen die Männchen an. Treffen dann zwei Freier aufeinander, machen sie ihrem Namen alle Ehre: Mit den Geweihen versuchen sie, in Ringermanier den Gegner auf den Rücken oder am besten gleich ganz vom Ast zu werfen. Nur dem Sieger gewährt das Weibchen das begehrte Schäferstündchen.

Während ihres kurzen oberirdischen Daseins ernähren sich die Käfer von Pflanzensäften, die sie aufsaugen und aufschlecken. Dabei brauchen die Männchen die Hilfe der Weibchen. Ihr beeindruckendes Geweih wächst nicht wie das Hirschgeweih auf der Stirn, sondern ist eigentlich der zu mächtigen Zangen umgebildete Oberkiefer. Diese Zier taugt so zwar zum Prahlen und Kämpfen, nicht aber zum Aufbeißen von Rinde. Nur gut, dass wenigstens die Weibchen über „normal" entwickelte Beißwerkzeuge verfügen. Damit vergrößern sie Rindenwunden an Eichen und anderen Bäumen – und fördern so den Saftfluss, an dem sich auch die Männchen laben.

Hirschkäfer
(Lucanus cervus)

KÖRPERMERKMALE
Männchen: Körperlänge 3-7,5 cm
Weibchen: Körperlänge 3-4 cm

NAHRUNG
Larven ernähren sich von totem Holz, voll entwickelte Käfer von Pflanzensäften

ALTER
Entwicklungsdauer 5-8 Jahre. Die erwachsenen Käfer leben vom Herbst bis Juli/August, davon nur etwa einen Monat außerhalb der Erde.

Der Fuchs
Fabelwesen und Tausendsassa

Schlau, listenreich und manchmal verschlagen – so zieht der Fuchs seit Jahrhunderten seine Spur durch den literarischen Blätterwald. Wegen seiner scharfen Sinne und seines geschickten Jagdverhaltens begegnen ihm die Menschen nicht selten mit einer Mischung aus Bewunderung und Ablehnung.

■ Die Karriereleiter zum vermutlich meistbemühten Fabelwesen erklomm der Fuchs oder Rotfuchs ab dem Ende des 15. Jahrhunderts. Im bedeutendsten niederdeutschen Tierepos, „Reynke de vos", machte er durch geniale Lügengeschichten und ausgesuchte Bosheiten von sich reden. In späteren Erzählungen steht er vor allem für Gewitztheit und List. Die heute noch übliche Bezeichnung „Reineke Fuchs" etablierte kein Geringerer als Johann Wolfgang von Goethe in seinem gleichnamigen Werk.

Das Verhältnis des Menschen zu Reineke war nie ungetrübt. Viele sehen in ihm bis heute vor allem einen Hühner-, Enten- und Gänsedieb. Dank seiner scharfen Augen, des feinen Gehörs und der hoch entwickelten

▲ Ein herrliches Geschöpf mit hellwachen Sinnen. Wie kaum ein anderes Tier findet sich Reineke in unserer Kulturlandschaft zurecht.

▲ Sind die Eltern „auf Achse", bleiben die Jungfüchse anfangs in der Nähe des sicheren Baus.

Nase gelingt es ihm immer wieder, sich allen Nachstellungen weitgehend zu entziehen. Es ist wohl hauptsächlich seine bemerkenswerte Fähigkeit, sich gerade auch in den vom Menschen gestalteten und intensiv genutzten Lebensräumen zu behaupten, die für seinen schlechten Ruf sorgte. Dumm nämlich ist der kleine Vetter von Wolf und Hund wahrlich nicht und mangelnde Flexibilität kann man ihm auch nicht vorwerfen.

Nehmen, was kommt ...

Obwohl er zu den Raubtieren zählt, ist der Fuchs ein Allesfresser. Mäuse beherrschen seinen Speiseplan. Vor allem Waldbauern wissen das zu schätzen, denn die kleinen Nager können den jungen Bäumchen sehr zu schaffen machen. Reinekes fleischliche Kost reicht aber weit darüber hinaus: von Krabbelkäfern und Regenwürmern über unvorsichtige Vögel und deren Eier sowie kleinere Säugetiere bis hin zum Rehkitz. Als Aasvertilger ist er außerdem ein wichtiger „Gesundheitspolizist". Doch mag er es auch vegetarisch: Obst und Beeren sind ihm zur Reifezeit stets willkommen. In mäuseschwachen Jahren kann er also mühelos auf andere Nahrung ausweichen, inspiziert er doch sogar Mülltonnen.

Die Fähigkeit, zu nehmen, was kommt – und dazu zählt seit jeher auch des Menschen liebes Federvieh –, ist das Erfolgsrezept des Fuchses für ein Leben unter ganz verschiedenen Bedingungen. Nicht umsonst ist der ökologische Tausendsassa über ganz Europa und weite Teile der Welt verbreitet. Dass er unter den Kulturfolgern einer der erfolgreichsten ist, zeigt sein unaufhaltsamer Vormarsch in Ortschaften und sogar Großstädte.

▼ Aufgepasst! Was die Alte da entdeckt haben mag?

▲ Wo leicht Beute zu machen ist, sagt der Fuchs nicht nein. Den Welpen scheint das Huhn zu schmecken.

Zur Paarungszeit kann es Streit geben. Drohend wird das Gegenüber „angekeckert".

Ein stilles Leben – unter und über Tage

Ebenso beeindruckend wie sein Anpassungsvermögen ist auch das Familienleben: Nach der Paarung, die im Winter und zu großen Teilen „unter Tage" stattfindet, kommen im Frühjahr drei bis sechs Welpen zur Welt. In der Geborgenheit der Baue verbringen sie die ersten Lebenswochen unter dem bedingungslosen Schutz der Mutter. Die Füchsin, auch Fähe genannt, geht in dieser Zeit nur selten ans Tageslicht. Mit etwa drei Wochen unternimmt der Nachwuchs zunächst noch im Schutz der Dunkelheit die ersten Ausflüge in die nähere Umgebung – ebenfalls streng von der Mama bewacht. Erst nach und nach lösen sich die Jungen immer weiter vom Bau, bis sie irgendwann auch alleine losziehen.

Vater Fuchs beteiligt sich als Ernährer der Familie an der Welpenaufzucht. Er versorgt anfangs die Fähe und später die ganze Familie mit Futter – zumindest dort, wo „geregelte Verhältnisse" herrschen. Manchmal sind Fähen allerdings auch „alleinerziehend": wenn es zum Beispiel sehr viele Füchsinnen gibt. Oder wenn es mit der Partnertreue nicht ganz so genau genommen wird. Es kommt durchaus vor, dass ein Rüde mehr als eine Fähe begattet und sich dann nicht an der Aufzucht aller Nachkommen beteiligt. Umgekehrt pflanzen sich Fähen bisweilen auch mit mehreren Rüden fort und tragen sogar Welpen verschiedener Väter aus.

Solange die Jungfüchse noch unter dem Schutz der Eltern stehen, ertönt häufiger als sonst einer der seltenen Laute des Fuchses: heisere Schreie, mit denen die Alten vor einer Gefahr warnen. Übertrieben gesprächig ist Reineke ansonsten nämlich nicht. Abgesehen von diesem Warnen hört man gelegentlich noch ein lockendes Bellen der Rüden in der Paarungszeit oder keckernde Drohlaute gegenüber Artgenossen oder Feinden.

Bauen – oder bauen lassen

Anpassungsfähig und flexibel ist der Fuchs auch bei der Wohnungswahl, denn nicht immer gräbt er seinen Bau selbst. Gerne bezieht er auch einfach einen weitläufigen Dachsbau – und bewohnt ihn manchmal sogar gemeinsam mit dessen Erbauern – oder wählt selbst trockengefallene Wasserrohre als Heim. Nach der Paarungszeit und Aufzucht der Jungen verliert die unterirdische Bleibe ihre Bedeutung: Tagsüber versteckt sich Reineke jetzt gerne in Hecken oder Feldern und lässt sich die Sonne auf seinen roten Pelz scheinen, der im Winter besonders prächtig ist.

Doch es gibt auch Schattenseiten: Wo Beutetiere wie Auer- oder Birkhuhn kaum noch ihr Auskommen finden, kann ihnen das pfiffige Anpassungsgenie zum ernsten Gegenspieler werden. Schutzprojekte für solche Arten sehen als Maßnahmen daher oft auch eine Regulierung der Fuchszahlen vor. Hier ist aber nicht Reineke das eigentliche Problem, sondern der Verlust geeigneter Lebensräume seiner Beutetiere.

Der Fuchs, dieser faszinierende und hoch entwickelte Tausendsassa, weiß wie kaum ein anderes Tier sein Überleben zu sichern. Und hat wahrlich einen besseren Ruf verdient, als ihm lange Zeit zugestanden wurde.

Fuchs *(Vulpes vulpes)*

KÖRPERMERKMALE
Rüde (Männchen): Gesamtlänge 100-135 cm, Schulterhöhe 38-42 cm, Gewicht 5-10 kg
Fähe (Weibchen): Gesamtlänge 95-115 cm, Schulterhöhe 35-40 cm, Gewicht 4-8 kg

NAHRUNG
Überwiegend Fleisch, aber auch vegetarisch: Hauptbeute Mäuse, daneben Insekten, Regenwürmer, Amphibien, Kleinnager und Säuger bis zu Rehkitzgröße, Obst, Beeren

ALTER
10-12 Jahre

◀ Ein Nickerchen in der wärmenden Sonne. Füchse verbringen den Tag gerne außerhalb des Baus.

Der Schwarzstorch
Verehrt, verfolgt und viel gereist

Er ist nicht so bekannt und verbreitet wie sein weißer Bruder, denn er meidet die „Öffentlichkeit" und vor allem den Menschen weit mehr als jener. Nur wo sich verschwiegene ausgedehnte Laubwälder mit Lichtungen, Bächen und Tümpeln abwechseln und somit ungestörte Rückzugsräume bieten, fühlt sich der seltene und heimliche Schwarzstorch wohl.

▲ Prächtig, scheu und eine Rarität: Der „Bruder des Weißstorches" lebt zurückgezogen in gewässerreichen Wäldern.

▶▶ Links: Junge im Horst. Die immer wieder benutzten Nester können beeindruckende Ausmaße erreichen. Rechts: Paare brüten über viele Jahre gemeinsam.

■ Vielleicht ist die Menschenscheu des Schwarzstorches auf die rücksichtslose Behandlung zurückzuführen, die er lange Zeit erfuhr. Hohe Wertschätzung genoss der Vogel zwar noch in der Antike: Als Begleiter des griechischen Götterboten Hermes – römisch Merkur – wurde er verehrt. Und auch die Germanen priesen ihn als Gefährten des „Obergottes" Odin. Das aber änderte sich im Mittelalter. Wegen seiner überwiegend schwarzen Farbe dichtete man dem Vogel „das Böse" an und sah in ihm den Gegenspieler des freundlich, weil hell gefärbten Weißstorches (S. 114). Eine eher vordergründige Argumentation: Schwarze wie weiße Störche wurden als vermeintliche Schädlinge rücksichtslos verfolgt.

So galt der stattliche schwarze Vogel mit dem weißen Bauch, dem roten Schnabel und ebenso roten Beinen noch Mitte des 20. Jahrhunderts in weiten Teilen Deutschlands als ausgestorben. Dank entsprechender Schutzmaßnahmen geht es ihm heute besser und er kommt glücklicherweise wieder häufiger vor.

Gemeinsam durchs Leben

Gewässer und Feuchtgebiete sind für den Schwarzstorch ein Muss, denn dort jagt er. Gemächlich schreitet er in seichtem Wasser umher und erbeutet, was vor seinen kräftigen Schnabel krabbelt oder schwimmt: Wasserinsekten und deren Larven, Frösche, Molche und kleinere Fische. Nur selten stehen auch Mäuse und Kröten auf dem Speiseplan.

Mindestens drei Jahre brauchen Schwarzstörche, bis sie geschlechtsreif sind, und noch ein Jahr, bis sie zum ersten Mal brüten. Auf alten hohen Bäumen errichten sie ihre Nester, in südlichen Regionen Europas auch in Felsnischen. Männchen und Weibchen halten dem einmal gewählten Brutplatz die Treue, bleiben meist ein Paar und ziehen gemeinsam alljährlich drei bis fünf Junge groß. Meist trifft das Männchen zuerst am Brutplatz ein und wartet dort – mitunter mehr als einen Monat – auf die Partnerin.

Gegen Ende des Sommers zieht das Fernweh die Vögel dann in ihre warmen Winterquartiere. Über Frankreich, die Iberische Halbinsel und die Straße von Gibraltar fliegen sie aus Deutschland nach Westafrika. Die im östlichen Europa startenden Vögel reisen dagegen über den Bosporus, die Sinai-Halbinsel und den Nil entlang nach Ostafrika. Wenn es darauf ankommt, legen die Störche dabei bis zu 500 Kilometer an einem Tag zurück: Eine erstaunliche Leistung eines erstaunlichen Vogels. Bleibt zu hoffen, dass seine Genesung anhält – denn wo der scheue „Waldstorch" lebt, ist die Natur noch intakt.

Schwarzstorch
(Ciconia nigra)

KÖRPERMERKMALE
Gesamtlänge 90-105 cm (Männchen meist größer als Weibchen), Flügelspannweite 80-210 cm, Gewicht 2,5-3 kg

NAHRUNG
Wasserinsekten wie Libellen und Köcherfliegen sowie deren Larven; Frösche, Molche und kleinere Fische; selten Mäuse und Kröten

ALTER
18-20 Jahre

Der Dachs
Graben, graben, graben …

Er kommt etwas pummelig daher, wirkt oft behäbig und – mit seinem schwarz-weiß längs gestreiften Gesicht – fast schon drollig. Kaum zu glauben, dass der Dachs zu den Marder zählt und ein enger Verwandter des geschmeidigen Steinmarders ist. Klettern wie der Vetter kann er nicht, aber wenn es ums Graben geht, macht dem „Erdmarder" niemand etwas vor. Und Respekt weiß er sich auch zu verschaffen.

■ Dass der Dachs ein grimmiger Gegner sein kann, hat schon so mancher unvorsichtige Jagdhund erfahren müssen, der sich mit ihm anlegte. Der Dachsschädel trägt einen auffälligen Knochenkamm entlang des Scheitels, an dem die kräftige Kaumuskulatur ansetzt. Neben seiner beeindruckenden Beißkraft mit dem raubtierartigen Gebiss weiß sich „Grimbart", wie der Dachs in der Fabelwelt genannt wird, auch mit den langen und scharfen Krallen an den Vorderpfoten zu wehren. Wirklich nötig ist diese Wehrhaftigkeit mittlerweile aber nicht mehr. Die Feinde – Wolf, Luchs und Bär, Adler und Uhu – kommen bei uns nicht oder nur selten vor.

▲ An den Streifen gut zu erkennen: Grimbarts Gesicht ist unverwechselbar.

Also benutzt Grimbart seine Vorderkrallen vor allem für das, was er wie kein Zweiter kann: zum Graben seiner unterirdischen Baue. In ihnen hält er sich tagsüber versteckt, und dort bringt die Dächsin im Frühjahr zwei bis drei Junge zur Welt. Die Kammern der Baue, die sogenannten Kessel, polstern die Erdmarder mit gehobenen Wohnansprüchen sorgfältig mit Gras, Stroh, Farn und Laub aus.

Wohnanlagen mit Nasszelle

Dachsbaue werden manchmal über Jahrzehnte bewohnt, ständig restauriert und auch erweitert. So können daraus weitverzweigte Anlagen großen Ausmaßes mit unzähligen Eingangsröhren entstehen. Solche regelrechten „Dachsburgen" werden oft nicht nur von einer, sondern von mehreren Familien oder auch Generationen bewohnt.

Unter Tage genießt der Dachs auch seine Winterruhe: Bei großer Kälte und Futterknappheit hält er sich kaum noch im Freien auf. Der wenig wählerische Allesfresser zehrt dann vor allem von den Fettreserven, die er sich im Herbst zugelegt hat. In einen richtigen Winterschlaf, wie ihn beispielsweise Igel oder Fledermäuse halten, verfällt er nicht.

Von Fuchsbauen unterscheiden sich die Wohnanlagen des Dachses durch rinnenartige Vertiefungen vor den Eingangsröhren. Sie entstehen dadurch, dass Grimbart das Erdreich im Rückwärtsgang heraustransportiert. Typisch sind auch sternförmig zum Bau laufende, regelmäßig benutzte Pfade in der Umgebung. Und nicht zuletzt die „Toiletten", auf denen die Tiere ihr Geschäft erledigen: Ihren Kot setzen Dachse separat in kleinen Gruben in der Nähe des Baues ab.

Dass zwischen Dachs- und Fuchsbauen nicht immer unterschieden wurde, brachte die Erdmarder an den Rand des Aussterbens: Als man vor rund 40 Jahren zur Bekämpfung der Tollwut den Fuchs als Hauptüberträger wenig zimperlich in seinen unterirdischen Bauen vergiftete, kostete dies auch so manchen Dachs das Leben. Heute ist Grimbart glücklicherweise in allen ihm zusagenden Lebensräumen – meist Wälder, aber auch die Feldflur oder mitunter sogar städtische Parks – wieder zahlreich vertreten.

Dachs (Meles meles)

KÖRPERMERKMALE
Männchen: Gesamtlänge 90-100 cm, Schulterhöhe 30-35 cm, Gewicht 10-18 kg
Weibchen: Gesamtlänge 85-100 cm, Schulterhöhe 30 cm, Gewicht 8-16 kg

NAHRUNG
Allesfresser: Obst, Wurzeln, Samen, Pilze; Würmer, Insekten, Schnecken, Vögel, Kleinsäuger bis Junghasengröße, Eier und Jungvögel von Bodenbrütern

ALTER
12-15 Jahre

▼ Links: Dachse haben eine eher pummelige Statur. Rechts: Sie sind Weltmeister im Graben. Ihre unterirdischen Höhlen nutzen sie mitunter jahrzehntelang.

Der Uhu
Mächtige Eule mit Seltenheitswert

Uhu *(Bubo bubo)*

KÖRPERMERKMALE
Gesamtlänge 60-75 cm; Flügelspannweite 160-170 cm; Gewicht Männchen 1,9 kg, Weibchen 2,6 kg

NAHRUNG
Säugetiere bis hin zum Reh- und Gamskitz; mittelgroße Vögel wie Krähen, Habicht, Graureiher und kleinere Eulenarten

ALTER
20-25 Jahre

Die größte Eule Europas ist zugleich auch die seltenste – und dass, obwohl sie keine besonderen Ansprüche an den Lebensraum stellt. Wie viele andere Raubtiere und -vögel wurde die Eule mit den markanten langen „Federohren" über lange Zeit verfolgt und vor gut 70 sogar Jahren an den Rand des Aussterbens gebracht.

■ Bei uns ist das Vorkommen des Uhus weitgehend auf die Mittelgebirge und den Alpenraum beschränkt. Mittlerweile nimmt der Bestand dieser mächtigen Eule glücklicherweise wieder deutlich zu – dank zahlreicher Bemühungen zur Wiederansiedlung und zu ihrem Schutz: Die Horste werden bewacht, um sie vor Störungen durch Klettersportler und Fotografen oder auch vor Mardern und anderen Tieren zu schützen, die den Eiern oder Jungen gefährlich werden könnten.

Der Uhu nistet bevorzugt in Felswänden und -nischen, gerne auch in Steinbrüchen. Sind solche Felslandschaften Mangelware, wie zum Beispiel in Schleswig-Holstein, brütet der „Vogel des Jahres 2005" auch am Boden oder in verlassenen Greifvogelhorsten.

So flexibel wie beim Nistplatz ist der imposante Nachtgreif auch bei der Wahl seiner Nahrung: Er erbeutet Vögel und kleine bis mittelgroße Säuger bis hin zum Reh- oder Gamskitz. Neben etwa 50 unterschiedlichen Säugetierarten wurden auch an die 180 Vogelarten in seinen Speiballen – den „Gewöllen", das sind die unverdaulichen, herausgewürgten Speisereste – nachgewiesen.

Der Waldkauz
Jäger der Nacht

Nahezu unhörbar fliegt er durch das Dunkel der Nacht, kein Schwingenschlag warnt seine Beute. Dass er selbst bei größter Finsternis mit Erfolg jagt, verdankt der Waldkauz seinen bestens an das Nachtleben angepassten Augen – und einem beeindruckend feinen Gehör. In erster Linie jagt er Mäuse und Kleinvögel, doch umfasst sein Nahrungsspektrum so ziemlich alle Tiere geeigneter Größe. Dazu zählen auch Ratten, Frösche und Kröten, Fische, Käfer und Regenwürmer.

Am liebsten bewohnt unsere häufigste Eule Laub- und Mischwälder, aber auch in reinen Nadelwäldern, Parks oder Gärten mit alten Bäumen lebt sie gerne. Sie nistet zwar vorwiegend in Baumhöhlen, bezieht aber auch alte Krähen- oder Greifvogelhorste, Scheunen und Kirchtürme, Dachböden, verfallene Ruinen und selbst Nistkästen.

Haben sich Männchen und Weibchen einmal füreinander entschieden, bleiben sie dem anderen ein Leben lang treu – wie übrigens auch ihrem Brutrevier. Dort ziehen sie gemeinsam alljährlich drei bis sechs zukünftige „Jäger der Nacht" groß (Foto rechts oben).

Waldkauz *(Stryx aluco)*

KÖRPERMERKMALE
Gesamtlänge 38-42 cm; Flügelspannweite 94-104 cm; Gewicht 400-630 g (Weibchen meist etwas größer und schwerer als Männchen)

NAHRUNG
Überwiegend Mäuse und Kleinvögel, aber auch Ratten, verschiedene Amphibien, Fische, Käfer und Regenwürmer

ALTER
Bis zu 18 Jahre

◀◀ Der Uhu ist der größte unserer Eulen. Der nächtliche Jäger vermag selbst Rehkitze zu erbeuten!

◀ Der eulentypische Gesichtsschleier: kreisförmig um Augen und Schnabel angeordnete Federn. Wie ein Schalltrichter verstärkt er die kleinsten Geräusche und leitet sie an die Ohren weiter.

Der Schreiadler
Auf Schusters Rappen unterwegs

▲ Im Sommer brütet und lebt der seltene Adler im Nordosten Deutschlands, im Winter zieht es ihn ins warme Afrika. Auf Jagd geht er meist „zu Fuß".

▶▶ Links: Den Adleraugen entgeht nichts. Rechts: Nur in störungsfreien Wäldern fühlt er sich zuhause.

Im Winter hält es ihn nicht mehr in seinen nordostdeutschen Brutgebieten, denn da lockt den Schreiadler seit jeher das warme Afrika. Dass seit vielen Jahren aber immer weniger dieser einzigartigen Greifvögel im Frühjahr in ihre Brutgebiete zurückkehren, hat Naturschutzorganisationen wie die *Deutsche Wildtier Stiftung* auf den Plan gerufen. Dem kleinsten unserer Adler soll geholfen werden.

■ Um 1900 kam der Schreiadler flächendeckend in Mecklenburg-Vorpommern, Brandenburg, Sachsen-Anhalt, Schleswig-Holstein, Niedersachsen und Bayern vor. Zu Beginn der 1990er-Jahre wurden aber nur noch 130 Brutpaare in Deutschland gezählt, 15 Jahre später waren es bereits weniger als 100. In den „alten" Bundesländern ist er heute fast vollkommen verschwunden.

Grund genug für ein ausgefeiltes Schutzprogramm. Der anspruchsvolle Schreiadler braucht störungsfreie, abwechslungsreiche und großflächige

Laub- und Mischwälder. Damit er jagen kann, müssen in der Nähe des Brutreviers außerdem ausreichend Feuchtwiesen liegen. Neben solchen Landschaften müssen auch die Zugwege dieser Vögel überwacht werden. Um mehr über die herbstlichen Flugrouten in das Winterquartier und die dabei drohenden Gefahren zu erfahren, wurden deshalb einzelne Tiere mit Sendern ausgestattet.

Kidnapping mit ehrenwerten Hintergedanken

In punkto Jugendschutz arbeiten die Adlerschützer mit einem Trick: Im Frühjahr „stehlen" sie den jüngeren der normalerweise zwei frisch geschlüpften Nestlinge aus dem Horst. Was wie ein Schildbürgerstreich klingt, macht durchaus Sinn. Denn der zuerst geschlüpfte Nestling sorgt mit gezielten Schnabelhieben dafür, dass der drei bis vier Tage später schlüpfende schwächere Nachwuchs kein Futter erhält und so schon nach wenigen Tagen stirbt. „Kainismus" nennen Wissenschaftler dieses Verhalten in Anlehnung an die alttestamentarische Schilderung von Kain und Abel. Ist der Aggressionstrieb des älteren Jungadlers nach einigen Tagen aber erloschen, kann das Geschwisterchen wieder gefahrlos in den Horst zurückgesetzt werden.

Legt ein Schreiadlerpaar ausnahmsweise nur ein einziges Ei, wird ihm mit zeitlichem „Sicherheitsabstand" ein zweiter Nestling untergeschoben. Der Nestfremde kommt in der Regel aus Lettland – dort brüten Schreiadler noch zahlreich.

Schreiadler jagen übrigens nur selten im Flug oder vom Ansitz aus, sondern überwiegend zu Fuß. Ihre Beute tragen sie dann – auch das ist untypisch für Greifvögel – nicht mit den Füßen, sondern mit dem Schnabel davon.

Schreiadler *(Aquila pomarina)*

KÖRPERMERKMALE
Gesamtlänge 55-67 cm; Flügelspannweite 146-168 cm (Weibchen größer als Männchen); Gewicht Weibchen 1,3-2,2 kg, Männchen 1,0-1,4 kg

NAHRUNG
Wühlmäuse und andere Kleinsäuger; Kleinvögel; in Feuchtbiotopen Amphibien; mancherorts auch kleinere Schlangen wie Ringelnattern

ALTER
Bis zu 25 Jahre

Lebensraum Wiese und Feld

Wie Kalenderblätter der Natur lassen Wiesen und Felder den Jahreszyklus des Lebens erkennen. Wenn im Frühling Krokus und Schlüsselblume den Beginn allen Werdens verkünden, erblicken die ersten Junghasen das Licht der Welt. Im Sommer erfüllt das Gesumme der Insekten die flirrend heiße Luft, und auch der Schwalbenschwanz beeindruckt dann durch seine Farbenpracht. Es folgt der Herbst, die Zeit der Ernte: Die Felder werden kahler. Hase und Rebhuhn leben in den folgenden Monaten „möglichst unauffällig" in der deckungsarmen Feldflur; Rehe schließen sich zu größeren Gruppen zusammen. Den Winter verschläft der Feldhamster in seinem Bau. Ohne den Menschen gäbe es das bunte Mosaik der Wiesen und Felder nicht, und so ist er ein Schöpfer vielfältiger Natur – wenn er denn rücksichtsvoll und behutsam mit ihr umzugehen weiß.

◂ Der Feldhase lebt in der offenen Feldflur. Dort können wir ihn das ganze Jahr über beobachten.

Der Feldhase
Flink und fruchtbar

Zum streitbaren Helden taugt er nicht, denn von Natur aus ist der Feldhase eher dazu geschaffen, sein Heil im Rückzug zu suchen. „Abtauchen", wegrennen und eine geradezu sprichwörtliche Fruchtbarkeit sind die Strategien, mit denen das Langohr seinen täglichen Überlebenskampf bestreitet. Leicht hat er es nicht: Neben vielen Feinden am Boden und in der Luft wird ihm oft sogar das Wetter zum Widersacher.

■ Fällt das Frühjahr nass und kalt aus, sind die Prognosen für den Feldhasen denkbar ungünstig. Ein großer Teil des Nachwuchses stirbt an Unterkühlung oder fällt Parasiten, Bakterien und Viren zum Opfer. Neugeborene Junghasen sind der Witterung unmittelbar ausgesetzt: Die Häsin bringt sie in selbst gescharrten flachen Erdmulden zur Welt, die zwar Schutz vor Wind, aber kaum vor Regen, Schnee und Hagel bieten.

In der Zeit von März bis Oktober wirft sie drei-, mitunter sogar viermal und schenkt dabei jeweils zwei bis vier Jungen das Leben. Es kommt

▲ Klein machen und nicht auffallen – schon die Junghäschen beherrschen wichtige Überlebensstrategien ihrer steppebewohnenden Vorfahren.

sogar vor, dass sie Embryonen zweier verschiedener Entwicklungsstadien gleichzeitig austrägt – „Superfötation" sagen die Biologen dazu. Kein Wunder, dass solche „Mega-Mütter" ein Symbol für Fruchtbarkeit wurden und Hasen deshalb für das Osterfest stehen – dem Fest des alljährlichen Neubeginns und Wachsens der Natur. Die Langohren halten vom Jahresanfang bis in den September hinein immer wieder ihre „Hasenhochzeit" ab, bei der mehrere „Rammler" um die Gunst einer Häsin werben und sich dabei mit den Pfoten auch gerne einmal regelrechte Ohrfeigen verpassen.

Flucht ist die beste Verteidigung

Vor allem die scharfäugigen Greif- und Rabenvögel sind eine Gefahr für die ersten Junghasen, die meist im März auf der noch kahlen Feldflur zur Welt kommen. Später geborene Junge müssen dann eher feinnasige Räuber wie Fuchs, Dachs und Marder fürchten. Ausgewachsene Hasen sind jedoch schwer zu fassen: Flach wie eine Flunder legen sie sich mit angelegten Ohren auf den blanken Ackerboden – man sagt auch, sie „drücken sich" – und entziehen sich so nahezu allen Blicken. Nützt das nichts, schießt der Hase wie ein Pfeil aus seiner Mulde, um rasch Land zwischen sich und den Feind zu bringen. Dabei schlägt er seine blitzartigen und berühmten Haken, die eine Verfolgung fast unmöglich machen.

Der Feldhase ist also ein typisches Fluchttier, wovon sich auch die Wörter „Hasenfuß" oder „Angsthase" ableiten. Lange, kräftige Hinterläufe ermöglichen ihm eine explosionsartige Beschleunigung und Geschwindigkeiten von bis zu 70 Stundenkilometern. Mit seinen seitlich am Kopf sitzenden Augen verfügt das Langohr fast über eine Rundumsicht und kann somit Gefahren im offenen Gelände frühzeitig wahrnehmen. So lebt der ursprüngliche Steppenbewohner auch bei uns vorzugsweise in der Feldflur tieferer Lagen. Hier ernährt er sich von Klee, Gräsern, verschiedenen Feldfrüchten und einer Vielzahl an Kräutern. Dass die Bestände seit Jahrzehnten dramatisch zurückgehen, führen Biologen nicht zuletzt auf den Einsatz von Pflanzenschutz- und Schädlingsbekämpfungsmitteln zurück – ebenso wie auf die Beseitigung von Hecken und Feldgehölzen, die dem Hasen Schutz vor seinen Feinden bieten.

Feldhase (Lepus europaeus)

KÖRPERMERKMALE
Gesamtlänge 55-65 cm; Schulterhöhe ca. 15 cm; Gewicht 4-5 kg

NAHRUNG
Zahlreiche Kräuter, Klee, Gräser, Feldfrüchte wie Getreide und Kohl

ALTER
4-8 Jahre

◀ Selbst während der Hasenhochzeit immer wachsam: Die langen Ohren und seitlich liegenden Augen scannen die Umgebung.

Die Zauneidechse
Mit Solarenergie auf Insektenfang

Sie hat vier Beine und ist doch eng mit den Schlangen verwandt, denn auch sie gehört zu den Kriechtieren oder Reptilien. Schon rund 335 Millionen Jahre ist diese Tiergruppe alt. Mit Fug und Recht darf die heute über ganz Europa verbreitete kleine Zauneidechse die Dinosaurier zu ihren Ahnen zählen.

■ An schönen Tagen bringt sie sich mit einem Sonnenbad erst einmal auf „Betriebstemperatur", um dann „warmgelaufen" auf die Jagd nach Insekten, Spinnen und Regenwürmern zu gehen. Die Zauneidechse ist „wechselwarm": Ihre Körpertemperatur ist nicht konstant wie unsere, sondern passt sich fast genau der herrschenden Außentemperatur an. Je kälter es ist, desto träger wird die lebhaft gemusterte Echse mit dem langen Schwanz. Von etwa Oktober bis März, April verfällt sie sogar in eine Kältestarre und ruht während der kalten Monate in Erdlöchern.

Vor allem die Nacht verbringen die kleinen Echsen versteckt, denn sie müssen stets auf der Hut sein – viele Vögel und Säugetiere, Schlangen

Zauneidechse *(Lacerta agilis)*

KÖRPERMERKMALE
Gesamtlänge 20-24 cm, davon rund 14 cm Schwanz (Männchen größer); Gewicht ca. 200 g

NAHRUNG
Insekten wie Heuschrecken, Zikaden, Käfer und deren Larven, Wanzen, Asseln, Ameisen, Spinnen und Regenwürmer

ALTER
Etwa 6 Jahre

▲ Grün kommen die Männchen zur Paarungszeit daher, unscheinbarer braun dagegen sind die Weibchen.

◀◀ Die schillernde Echse ist ein Nachfahre der Dinosaurier.

und nicht zuletzt streunende Hauskatzen stellen ihnen nach. So führen Sie gerade in Dorf- und Stadtnähe kein leichtes Leben.

Ein Schwanz mit „Sollbruchstelle"

Wer so riskant lebt, muss sich etwas einfallen lassen: Bei Gefahr kann die Eidechse ihren Schwanz abstoßen. Der zuckt noch ein Weilchen und lenkt den Feind ab. Der Schwanz wächst zwar nach, aber nur noch verkürzt und mit einer vergleichsweise unscheinbaren Musterung.

Die Männchen zeigen zur Paarungszeit ab April schillernd grüne Kopf-, Rumpf- und Bauchseiten anstelle der sonst vorherrschenden braunen Grundfärbung. Hat sich ein solcher Schönling gegenüber seinen Rivalen durch Imponier- und Drohrituale durchgesetzt, verpaart er sich mit einem Weibchen. Dieses legt dann, meist im Mai bis Juni, fünf bis 15 weichschalige Eier in kleinen Löchern an sandigen und besonnten Plätzen ab.

Damit ist die elterliche Fürsorge auch schon zu Ende. Sind nach etwa zwei Monaten die rund fünf Zentmeter langen Jungeidechsen geschlüpft, müssen sie sich sogar vor den eigenen Eltern in Acht nehmen! Nicht selten landen sie nämlich auch in deren Mägen ...

Die Kreuzotter
Sonnenanbeterin mit Brutkasten

Von der Aspisviper einmal abgesehen – sie kommt nur lokal im Schwarzwald vor – ist die Kreuzotter die einzige giftige Schlange Deutschlands. Hier lebt sie vor allem in den Heidegebieten des Norddeutschen Tieflands, in den östlichen Mittelgebirgen und in Teilen Süddeutschlands. Sie ist überwiegend am Tag aktiv und in der Dämmerung nur, wenn es tagsüber zu heiß ist. Da muss es aber schon „dick kommen", denn Wärme ist das Lebenselixier der Kreuzotter. So richtig munter wird sie erst bei Temperaturen von 30 bis 33 Grad.

Ein verwöhntes Leckermaul ist die Kreuzotter nicht: Sie vermag sich auf das regional bestehende Beuteangebot einzustellen und frisst vor allem Mäuse, Eidechsen und Frösche. Nach einer Bissattacke folgt die Schlange dem Opfer, das schon bald vom Schlangengift geschwächt wird und schließlich stirbt. Ihre Beute verschlingt sie vollständig und meist vom Kopf her. Das Gift der Kreuzotter ist zwar relativ stark, ihr Vorrat daran aber nur klein. Da der Mensch nicht ins Beuteschema der Schlange passt, wird er allenfalls „in Notwehr" gebissen. Für einen gesunden Erwachsenen ist die geringe Giftmenge nur schmerzhaft und nicht lebensbedrohlich.

Die Weibchen legen zwar Eier an, brüten diese aber schon im Körper aus. Sie gebären so meist fünf bis 15 bereits fertig entwickelte Jungschlangen.

Kreuzotter (*Vipera berus*)

KÖRPERMERKMALE
Gesamtlänge Männchen bis zu 65 cm, Weibchen bis zu 75 cm; Gewicht 100–300 g

NAHRUNG
Kleinsäuger, vor allem verschiede Mäusearten, Eidechsen und Frösche

ALTER
13–15 Jahre

Das Reh
Naschhaftes Anpassungsgenie

Es lebt auf Nordsee-Inseln und Halligen, in ausgeräumten Ackerlandschaften und in dichten Wäldern, vom Flachland und bis hinauf zur Baumgrenze in den Alpen. Eine solche Durchsetzungsfähigkeit mag man dem grazilen und fast zerbrechlich wirkenden Reh kaum zutrauen.

■ Wie geschickt sich Rehe bei der Eroberung unterschiedlichster Lebensräume anstellen, belegt auch der Blick über die Grenzen unseres Landes hinaus: Sie kommen in fast ganz Europa und Kleinasien vor. Nur auf den Mittelmeerinseln, dem Peloponnes und in Irland gibt es „weiße Flecken".

Am wohlsten fühlt sich das Reh in abwechslungsreichen Feld-und-Wald-Landschaften und in lichten unterwuchsreichen Wäldern. Obwohl nahezu allgegenwärtig, verwundert es, wie wenig bekannt das mit Abstand häufigste wild lebende Huftier Deutschlands doch ist: Viele Menschen halten den Rehbock mit seinen vergleichsweise „kleinen Hörnern" für das Weibchen des Rothirsches (S. 14). Die hornlosen Tiere beider Arten – das

▲ Die elegante „Gazelle des Nordens" ist das häufigste wild lebende Huftier unseres Landes. Einen Kopfschmuck tragen nur die Männchen. Sie bilden ihn alljährlich neu.

▲ Meist bringt das Rehweibchen zwei Kitze zur Welt. Etwa ein Jahr bleiben Mutter und Kinder zusammen.

sind die Weibchen und der neugeborene Nachwuchs – werden kurzerhand pauschal für „Hirschkinder" gehalten.

Dass es sich aber um zwei ganz eigene Arten handelt, zeigen bereits die beträchtlichen Größenunterschiede. Rehböcke bringen nur rund ein Zehntel des Rothirschgewichts auf die Waage.

Ein weiterer Unterschied zum Rothirsch ist: Das Reh kennt eigentlich kein Rudelleben und lebt als Einzelgänger. Einzige dauerhafte Einheit ist die Kleinfamilie aus Muttertier, neugeborenem Kitz und Vorjahrestochter. Der Nachwuchs verlässt die Mutter, wenn im Folgejahr die Geburt neuer Kitze bevorsteht. Die dann einjährigen Töchter dürfen anschließend wieder für einige Zeit zur Mutter und dem jüngeren Geschwisterchen stoßen – für die Vorjahressöhne aber ist das Familienleben damit endgültig vorbei. Sie versuchen nun, ein eigenes Territorium zu ergattern.

Kämpfen für Revier und Ricke

Die Revierkämpfe finden vor allem im März bis April statt, wenn die Rehmänner ihr neues „Gehörn" ausgebildet und es von der umhüllenden Basthaut befreit haben. Das tun sie bevorzugt an Holundersträuchern und – zum Leidwesen der Waldbauern – an Bäumen wie Douglasie, Lärche oder Wildkirsche. Indem der Rehbock seine Stirn an den Gewächsen reibt, kennzeichnet er die Grenzpfähle seines Reviers auch gleich geruchlich mit

▼ Bloß weg hier! Anmutig und elegant selbst auf der Flucht.

▲ Oben: Im Hochsommer suchen die Rehböcke nach paarungsbereiten Weibchen. Die Vereinigung vollzieht sich nach einer wilden Verfolgungsjagd.

Unten: Zwischen Ende Oktober und Ende Dezember verliert der Rehbock sein Geweih. Solche „Abwurfstangen" auf dem Boden zu entdecken, ist ein seltener Glücksfall.

▶▶ Anfangs verharrt das Kitz regungslos am Platz, wenn die Mutter auf Nahrungssuche geht. Dann sondert es auch kaum einen Geruch ab.

einem Sekret aus seiner Stirndrüse. Zuletzt schlägt er mit seinen Vorderläufen kleine Plätze im Erdreich frei – er „plätzt", wie die Jäger sagen –, um seinen Gebietsanspruch kundzutun. Während der Geburtszeit beanspruchen übrigens auch die weiblichen Tiere, die „Ricken", ein Revier, das sie gegenüber anderen Weibchen verteidigen.

Unter den Böcken kommt es dann nach einigen Wochen „Waffenstillstand", in denen sie möglichst wenig Energie verbrauchen, erneut zu Auseinandersetzungen. Wenn nämlich von etwa Mitte Juni bis Mitte August die paarungsbereiten Weibchen locken, nimmt es der ein oder andere nicht mehr ganz so genau mit den Reviergrenzen. Begegnungen zwischen Rivalen verlaufen meist unblutig. Allein die körperliche Überlegenheit eines Bockes veranlasst den anderen zum Rückzug. Annähernd gleich starke Kontrahenten gehen aber auch schon einmal mit dem Gehörn aufeinander los. Doch auch das endet in der Regel mit der Flucht des Unterlegenen – und nur in Ausnahmefällen mit schweren oder sogar tödlichen Verletzungen

Der Rehbock – ein treuloser Don Juan

Drei bis vier Tage ist ein Weibchen paarungsbereit. Während dieser Zeit lässt der Bock die Ricke nicht aus den Augen und paart sich mehrmals täglich mit ihr. Ist die Paarungsbereitschaft eines Weibchens schließlich vorüber, sucht sich der gehörnte Don Juan ohne viel Federlesens einfach eine neue Braut.

Nach der Befruchtung entwickeln sich die Embryonen im Leib der Mutter nur eine kurze Zeit und treten dann in eine mehrmonatige Ruhephase, die sogenannte Keim- oder Eiruhe, ein. Weiter mit dem Wachsen geht es erst ab etwa Dezember, bis schließlich Ende Mai, Anfang Juni meist zwei, seltener ein und noch seltener drei Kitze geboren werden. Dass die neugeborenen Rehkitze bei uns oft „Bambis" genannt werden, ist übrigens nicht ganz korrekt: Hauptdarsteller in Walt Disneys berühmtem Film ist das Kalb des in den USA beheimateten Weißwedelhirsches.

Flexibilität ist Trumpf

Rehe gelten als kleine Leckermäuler und „Naschkatzen", denn sie benötigen sehr eiweißreiche, das heißt energiehaltige Nahrung. Neben verschiedenen Ackerpflanzen fressen sie Kräuter, Gräser und im Wald die feinen Endtriebe und Knospen nachwachsender Jungbäume. Solcher „Verbiss" kann erhebliche Wachstumseinbußen und sogar den Tod für die kleinen Bäume bedeuten. Wo die Zahl der Rehe überhandnimmt, werden daher manchmal teure waldbauliche Schutzmaßnahmen notwendig.

Auch sein Sozialverhalten handhabt das Reh äußerst flexibel. Wo eine weit und breit deckungslose Feldflur die Landschaft prägt, kann man große Ansammlungen der eigentlichen Einzelgänger beobachten, in Extremfällen bis zu 100 Tiere. Nach dem Motto „50 bis 100 Augenpaare sehen mehr als eines" schließen sich diese sogenannten Feldrehe aus Sicherheitsgründen zu solchen Gruppen zusammen.

Wer in seinen Bedürfnissen so anpassungsfähig ist, muss einfach erfolgreich sein. Und so spricht eigentlich alles dafür, dass die kleinste Hirschart Europas auch zukünftig in nahezu jedem Winkel unserer Wildbahn zu finden sein wird.

Reh *(Capreolus capreolus)*

KÖRPERMERKMALE
Bock (Männchen): Gesamtlänge 100-140 cm, Schulterhöhe 60-90 cm, Gewicht 20-30 kg
Die Weibchen sind leichter und kleiner als die Männchen.

NAHRUNG
Kräuter, Gräser, Blätter, Knospen, Gehölztriebe und -früchte

ALTER
10-15 Jahre

▼ Trotz Idylle stets auf der Hut: Immer wieder unterbrechen Rehe die Nahrungsaufnahme und prüfen wachsam die Umgebung.

Der Schwalbenschwanz
Von der Puppe zum Gipfelstürmer

Er zählt zu unseren größten Schmetterlingen und kommt farbenfroh und auffällig gemustert daher. Dass man den prächtigen Schwalbenschwanz dennoch nicht allzu häufig zu Gesicht bekommt, liegt daran, dass er sehr selten ist. Er ist deshalb auch streng geschützt.

■ Um sich zu ernähren, brauchen die Raupen des Schwalbenschwanzes Wilde Möhre, Dill, Karottenkraut und andere Doldenblütler. Diese Pflanzen sind in intensiv genutzten Feld- und Wiesenlandschaften heute jedoch zur Mangelware geworden. Dass außerdem bei der Mahd von Wildwiesen viele Eier und Raupen zerstört werden, ist ein weiterer Grund für die Misere des prächtigen Tagfalters.

Der gelb-schwarz gemusterte Falter mit einer Reihe blauer Punkte und zwei roten Flecken ist unverwechselbar. Seinen Namen verdankt der „Schmetterling des Jahres 2006" übrigens den beiden langen Spitzen am hinteren Flügelrand.

▲ Der herrlich gemusterte Schwalbenschwanz ist einer unserer größten Schmetterlinge.

▶▶ Die Raupen haben einen schier unglaublichen Appetit (links), bis sie sich nach einigen Wochen schließlich verpuppen (rechts).

Doppelt gemoppelt hält besser

Der Schwalbenschwanz pflanzt sich jährlich in zwei Generationen fort. Die erste schlüpft im Mai und legt nach der Paarung im Juni „portionsweise" bis zu 150 Eier, dabei aber jedes Ei einzeln an geeigneten Futterpflanzen ab. Daraus schlüpfen nach acht bis zehn Tagen die Raupen, die sich nach wenigen Wochen „Dauerfressen" einzeln in einem Gespinst verpuppen. Aus den Puppen schlüpft im Juli die zweite, etwas kräftiger gefärbte Schmetterlingsgeneration. Auch die „Juli-Weibchen" legen noch im selben Jahr Eier ab. Die Nachkommen überwintern dann im Puppenstadium. Fällt der Sommer besonders lang und warm aus, können sich sogar drei Generationen in einem Jahr entwickeln.

Die Raupen sind nicht nur ausgesprochen gefräßig, sondern auch wehrhaft: Nähert sich ein Feind, stülpen sie eine dicht hinter dem Kopf gelegene Nackengabel aus. Um die abschreckende Wirkung noch zu verstärken, versprühen sie mit diesem sogenannten Osmaterium einen übel riechenden Duftstoff.

Die erwachsenen Schmetterlinge ernähren sich von Blütennektar: Disteln, Karthäusernelken, Rotklee und Zistrosen (wie auf dem Foto auf S. 56) mögen sie besonders. Zur Paarung konzentrieren sich die Männchen auf Gelände-Erhebungen wie Hügelkuppen und Geröllhalden, wo die stärksten Tiere ein Revier besetzen. Die Weibchen fliegen solche Plätze dann gezielt an. Gipfelbalz oder „Hilltopping" nennen Fachleute dieses Verhalten.

Schwalbenschwanz
(Papilio machaon)

KÖRPERMERKMALE
Schmetterlinge: Flügelspannweite 5–9 cm
Raupen: Länge ca. 4,5 cm

NAHRUNG
Schmetterlinge: Nektar blütentragender Pflanzen. Raupen: Doldenblütler, vor allem Wilde Möhre, Dill und Karottenkraut

ALTER
Entwicklungsdauer je nach Generation 1–8 Monate. Voll entwickelte Schmetterlinge leben nur knapp einen Monat.

Die Kreuzspinne
Sie wickelt jeden ein

Dass sie in unseren Breiten die meisten Menschen kennen, verwundert nicht. Sie ist so häufig wie kaum eine andere Spinne und lässt an der Herkunft ihres Namens keinen Zweifel: Fünf weiße kreuzförmig angeordnete Flecken zieren ihren gelb- bis schwarzbraun gefärbten Hinterleib.

■ In Europa kommt die Kreuzspinne vom Nordkap bis ans Mittelmeer vor. Am ehesten begegnet man ihr in halbschattigem bis offenem Gelände, vor allem an Waldrändern und Waldwegen, an Lichtungen, Gebüschen, Hecken und in Gärten. Hier spinnt sie in bis zu zwei Metern Höhe ihr gleichmäßiges, sogenanntes Radnetz.

Diese elastische und zugleich äußerst reißfeste Konstruktion hat einen Durchmesser von 30 Zentimetern und mehr. An 1000 bis 1500 Punkten verbindet die Baumeisterin die einzelnen Netzteile miteinander, rund 20 Meter Faden stellt sie dafür in Spinndrüsen am Hinterleib her. In Relation zum Gewicht ist Spinnenseide um ein Mehrfaches belastbarer als Stahl!

▲ Ein Meisterwerk der Webkunst: das filigrane Netz. Selbst schwere Tautropfen trägt es ohne Probleme.

Geht ein Insekt in die tödliche Falle, verstrickt es sich unrettbar in den klebrigen Fäden – vor allem, wenn es dabei zappelt. Die Spinne selbst lauert meist in der Netzmitte, seltener in einem außerhalb gelegenen Versteck, das über einen „Signalfaden" mit dem Netz verbunden ist. Dem Freiheitsdrang ihrer Beute setzt sie rasch ein Ende: Sie wickelt das hilflose Opfer mit Fäden ein, verpasst ihm einen ihrer giftigen Bisse und macht es so bewegungsunfähig. Etwas ganz Besonderes ist der Verzehr der Beute: Spinnen verdauen ihre Nahrung „außerhalb des Körpers": Die Kreuzspinne speichelt ihr gelähmtes Opfer mit zersetzenden Sekreten ein – und saugt es dann kurzerhand als „Brei" auf.

Werben heißt weben

Ohne Fäden geht bei Kreuzspinnen nichts: Zur Paarungszeit – überwiegend im August – spinnt das Männchen einen „Bewerbungsfaden" an das Netz eines Weibchens und zupft daran wie ein Minnesänger an den Saiten seiner Laute. An diesem Zupfen vermag die Spinnendame mit den tastempfindlichen „Hörhaaren" ihrer Beine den Galan von einer willkommenen Mahlzeit zu unterscheiden. Ist sie paarungswillig, begibt sie sich zum Bewerbungsfaden, wo das Männchen sie begattet.

Im Herbst legt sie versteckt bis zu fünf Kokons mit je 40 bis 50 Eiern ab und stirbt dann meist. Der Nachwuchs verlässt die schützende Hülle erst im Frühjahr darauf. Zwei bis drei Jahre vergehen, bis die Jungspinnen voll ausgereift sind.

Fürchten müssen sich Kreuzspinnen vor allem vor Vögeln. Leicht haben es ihre Feinde aber nicht. Werden die Spinnen gestört, versetzen sie ihr Netz in so heftige Schwingungen, dass sie dadurch fast unsichtbar werden. Ein Räuber sieht sie nicht oder stößt so leicht ins Leere.

Kreuzspinne
(Araneus diadematus)

KÖRPERMERKMALE
Männchen: Länge 5-10 mm
Weibchen: Länge 12-18 mm

NAHRUNG
Kleinere Insekten aller Art

ALTER
2-3 Jahre

▼ Links: Dem Fleckenmuster auf ihrem Rücken verdankt sie ihren Namen. Rechts: In den ersten Tagen nach dem Schlüpfen hocken die kleinen Spinnen in regelrechten Klumpen aufeinander.

Der Feldhamster
Ein Nager, der gern „dicke Backen" macht

Während der putzige Goldhamster erst nach 1930 aus Syrien Einzug in Europas Kinderstuben hielt, nagt und wühlt sein großer europäischer Bruder seit mindestens 2000 Jahren in deutschen Landen: So alt sind Feldhamsterskelette, die Archäologen im Rhein-Neckar-Raum fanden.

▲ Der gelblich braune Nager lebt schon seit mindestens zweitausend Jahren in unseren Feldern. Ab und zu geht er auch einmal schwimmen.

▶▶ Links: Auf Nahrungssuche. Rechts: Habacht-Stellung: Der markante schwarze Bauch soll ein Raubtiermaul vortäuschen und schreckt Feinde ab.

■ Ursprünglich in den Steppen Osteuropas beheimatet, lebt der Feldhamster – auch Europäischer Hamster genannt – ausschließlich im Offenland. Als die Menschen ab dem 9. Jahrhundert in Westeuropa immer wieder große Waldflächen rodeten, um sie landwirtschaftlich zu nutzen, bereiteten sie damit dem rundlichen Nager den Weg nach Westen. Heute ist er von Sibirien über Mitteleuropa bis nach Belgien verbreitet.

Doch dann wendete sich das Blatt: In Deutschland gab es noch bis Mitte der 1970er-Jahre Prämien für gefangene oder getötete Hamster – die Tiere galten als Schädlinge, da sie sich gerne von dem bedienten, was die Menschen auf ihren Feldern anbauten. Ein Übriges taten der Straßen- und

Siedlungsbau sowie die industrielle Landwirtschaft: Immer mehr Lebensraum ging verloren. Heute sind die pausbäckigen Nager deshalb vielerorts vom Aussterben bedroht. Doch es gibt verstärkt Zucht- und Auswilderungsprogramme. Auch werden Feldflächen und Ackerrandstreifen immer öfter mit Luzerne und Klee bepflanzt, um Nahrung und Deckung zu bieten – finanziert unter anderem durch „Hamsterpatenschaften".

Bei Gefahr im freien Fall durchs Rohr …

Fast nur in weiche Löss- und Lehmböden graben Feldhamster ihre Wohnungen. Neben zwei bis drei flach verlaufenden Eingängen gehören dazu senkrechte Fallröhren für einen blitzartigen Rückzug vor Feinden wie Greifvögeln und Eulen sowie – Ordnung muss sein – je eine Wohn- und eine Vorratskammer. Im Bau wohnt immer nur ein Tier, denn die Einzelgänger sind unduldsam gegenüber Artgenossen. Auf Nahrungssuche geht der Nager mit dem überwiegend gelb- bis mittelbraunen Fell an Rücken und Flanken und dem schwarzen Bauch fast nur in der Dämmerung und nachts. Die Leckerbissen stopft er sich dabei in seine beiden sprichwörtlichen Backentaschen und schafft sie zur unterirdischen Vorratskammer.

Bereits Ende August zieht sich der Feldhamster zum Winterschlaf zurück: Anfangs und auch gegen Ende wieder nimmt er täglich einen kleinen Imbiss aus der Vorratskammer, ansonsten schläft er meist zwei bis drei Tage, im Extremfall sogar 14 Tage am Stück. Zwei bis vier Kilogramm Nahrung muss er im Sommer schon „gehamstert" haben, um den Winter zu überstehen. Ende März, Anfang April taucht der Nager mit dem Stummelschwänzchen dann wieder auf.

Mit betörenden Düften locken die Weibchen Ende April zum Liebesspiel vorübergehend ein Männchen in den Bau. Knapp drei Wochen danach gebären sie dann vier bis zwölf unbehaarte Junge. Im Alter von drei bis vier Wochen geht der Nachwuchs eigene Wege. Die Mama wirft meist noch ein zweites und manchmal ein drittes Mal. Da mit der Ernte der Felder auch die Nahrung knapp wird, überleben diese später geborenen Jungen aber oftmals nicht.

Feldhamster
(Cricetus cricetus)

KÖRPERMERKMALE
Gesamtlänge: 25-30 (40) cm (davon 3-5 cm Schwanz); Schulterhöhe: 4 cm; Gewicht: 250-500 g (Männchen meist größer und schwerer als Weibchen)

NAHRUNG
Überwiegend vegetarisch, seltener fleischlich: Sämereien, Körner, Knollen, Klee, Möhren, Kartoffeln, Zuckerrüben, Kohlarten, manche Wildkräuter; Regenwürmer, Käfer, Engerlinge, Feldmäuse, gelegentlich Küken bodenbrütender Vogelarten

ALTER
Meist nur 1 Jahr

Das Rebhuhn
Laufen aus Leidenschaft

Fast klingt es so, als spiele der Wind mit rostigen Türangeln, wenn die Rebhähne mit unverwechselbarem Ruf ihr Brutrevier markieren. Wo im Spätwinter und Frühjahr ihr typisches „Kirreck" ertönt, ist die Natur noch intakt.

■ Der kleinste wild lebende Hühnervogel Deutschlands bewohnte ursprünglich nur Steppen- und Heidelandschaften. Mit der bäuerlichen Bewirtschaftung ehemaliger Waldflächen schuf ihm der Mensch aber weiteren Lebensraum, in dem er prächtig gedieh. Noch zu Beginn des 19. Jahrhunderts wurden Rebhühner zu Hunderten auf den Märkten angeboten und galten als „Essen für arme Leute". Dann aber sorgte die immer intensivere Landwirtschaft für einen dramatischen Rückgang. Der wunderschöne Vogel gilt deshalb mittlerweile als stark gefährdet.

Einer waschechten Rebhuhnfamilie gehören neben den Eltern meist zehn bis 20 Küken an. Sie werden in einer Bodenmulde nur vom Weibchen ausgebrütet, während das Männchen unentwegt „Wache schiebt". Die

▲ Wenn es kalt wird, rücken die Tiere zusammen: So lässt sich der Winter besser überstehen.

▶▶ Wenn Rebhühner fliegen, dann meist nur kurze Distanzen und ziemlich flach über dem Boden.

„Nestflüchter" folgen ihren Eltern sofort nach dem Schlüpfen. Damit dann kein Junges verloren geht, lassen die Altvögel häufig bestimmte Lock- und Sammelrufe ertönen. Mit etwa zwei Wochen kann der Nachwuchs bereits fliegen. Begnadete Flugkünstler sind Rebhühner allerdings nicht: Meist reicht es nur für kurze Distanzen, die sie in einem Wechsel aus raschen Flügelschlägen und kurzen Gleitphasen zurücklegen. Zu laufen ist ihnen deshalb lieber.

Wenig Babykost und viele Feinde

In den ersten Lebenswochen brauchen die Küken vor allem tierisches Eiweiß, das sie in Form von Insekten ergattern. Immer öfter steht dann auch pflanzliche Nahrung auf dem Speisezettel. Das traute Familienleben pflegen sie bis zum Beginn der nächsten Brutsaison. Im Winter schließen sich mitunter mehrere Familien zu Gruppen zusammen und gehen gemeinsam auf Nahrungssuche.

Dabei müssen sie sich vor vielen Feinden in Acht nehmen: Füchse, Dachse, Marder, Wiesel, Katzen und Wildschweine sind auf die Vögel ebenso aus wie auf die schmackhaften Eier – und Gefahr droht in Form von Greifvögeln, Kolkraben, Krähen und Elstern auch aus der Luft. Ihren scharfen Augen entgehen die kleinen Hühner oftmals nicht, selbst wenn sie sich flach an die Erde drücken. Die breite Palette an Feinden wird vor allem in einer weitgehend ausgeräumten Feldflur zum ernsthaften Problem. Dort findet das Rebhuhn keine Hecken, Büsche oder ungemähte Grasflächen aus dem Vorjahr mehr, um sich zu verstecken. Umso wichtiger ist es, für solche Flächen zu sorgen.

Rebhuhn *(Perdix perdix)*

KÖRPERMERKMALE
Gesamtlänge: ca. 30 cm;
Flügelspannweite: 45-48 cm;
Gewicht: 300-450 g

NAHRUNG
Überwiegend pflanzliche, Küken vor allem tierische Kost: Sämereien, Wildkräuter, Getreidekörner, Klee- und Luzerneblätter, Grasspitzen, Knöterich- und Wegericharten, seltener Früchte und Beeren; Insekten, vor allem Ameisen, Käfer, Schmetterlingsraupen und Blattläuse

ALTER
2-3 Jahre

Der Große Brachvogel
Vom Allerweltsvogel zur Rarität

Großer Brachvogel
(Numenius arquata)

KÖRPERMERKMALE
Gesamtlänge: 50-58 cm (davon 10-15 cm Schnabel); Flügelspannweite: 80-105 cm; Gewicht: 0,6-1 kg

NAHRUNG
Regenwürmer und andere Wirbellose, Insekten, Spinnentiere, Tausendfüßer und Schnecken, sehr selten auch kleine Frösche und Kröten, Eidechsen, Jungvögel und Kleinnager

ALTER
25-30 Jahre

Wehmütig klingt das „Kuri li" des Vogels mit dem langen, abwärts gebogenen Schnabel – fast so, als trauere er besseren Zeiten nach. Zeiten, in denen er bei uns noch weit verbreitet war und nicht unter Wohnungsnot litt.

Anders als das Rebhuhn mag der Große Brachvogel es eher feucht und nass. Als Moore, Wiesen und Weiden in großem Stil trockengelegt und „kultiviert" wurden, fand er deshalb immer weniger Brutplätze nach seinem Geschmack. Heute leben die letzten dieser charakteristischen Tiere in wenigen überschaubaren Restgebieten: vor allem in Bayern, an den Küsten und in den Marschlandschaften Norddeutschlands. In Westfalen zeugen von dem einstigen „Allerweltsvogel" leider nur noch Straßennamen und Feldflurbezeichnungen.

Ein Modellprojekt zum Schutz der Nachkommen hat deshalb die *Deutsche Wildtier Stiftung* zusammen mit dem *Naturschutzfonds Wetterau e.V.* in Hessen gestartet. Künstlich angelegte Flutrinnen sollen den Nachwuchs vor dem Fuchs schützen. Wasser mag der nämlich gar nicht. Bewährt sich diese einfache Idee, könnte sie auch in anderen Regionen Schule machen.

Der Kiebitz
Der Kämpfer mit dem „Federhelm"

Mit seinem schwarz-weißen Federkleid, dem grünen und violetten Metallschimmer und einer langen Federholle auf dem Kopf ist der Kiebitz unverwechselbar. Im Frühjahr verraten sein gemächlicher, lockerer Flügelschlag und der akrobatische Balzflug seine Rückkehr aus dem Winterquartier, meist aus West- und Südeuropa oder Nordafrika. Das geschieht in der Regel schon im März, sofern die Brutgebiete dann bereits eisfrei sind.

Sie liegen in offenen und flachen Landschaften, bevorzugt an Gewässerrändern, in Feuchtwiesen und Mooren, aber auch auf Wiesen und Weiden, Heiden, Feldern und Äckern. Der etwa taubengroße Bodenbrüter legt meist vier braun gefleckte Eier. Oftmals brütet er in kleineren Gruppen von bis zu 20 Paaren. Außerhalb der Brutzeit schätzt er auch die Gesellschaft anderer Vögel wie Uferschnepfen oder Rotschenkeln.

Der Kiebitz weiß sich gegenüber natürlichen Feinden durchaus zu wehren: Das Nest verteidigen beide Altvögel vehement. Greif- oder Rabenvögel wehren sie mit lauten Rufen und imposanten Luftangriffen ab, oft mit Unterstützung ihrer in der Nähe brütenden Artgenossen. Werden dennoch die Eier oder die Jungvögel geraubt, legt das Weibchen ein zweites Mal.

▲ Früher als viele andere Zugvögel kehrt der Kiebitz in großen Schwärmen in seine Brutgebiete zurück.

◀◀ Der Vogel mit dem gebogenen Schnabel mag es feucht und sumpfig.

Kiebitz *(Vanellus vanellus)*

KÖRPERMERKMALE
Gesamtlänge: 28-31 cm;
Flügelspannweite: 67-75 cm;
Gewicht: 128-330 g

NAHRUNG
Überwiegend Insekten und deren Larven, daneben Würmer und andere Wirbellose, seltener Samen, Fruchtstände und Getreidekörner

ALTER
18-19 Jahre

Der Steinkauz
Götterbote in Menschennähe

Eulen sind seit jeher Sinnbild für Weisheit und abgeklärte Ruhe. Im antiken Griechenland galten sie als Symbol der Athene, Göttin der Weisheit und Kriegslist sowie Schutzpatronin der gleichnamigen Landeshauptstadt. Das muss wohl ganz besonders für den Steinkauz gegolten haben, denn schließlich ist er als einzige Eule nach der Weisheitsgöttin benannt. „Athene noctua" (wörtlich Athenen-Eule) lautet sein wissenschaftlicher Name.

■ Noch heute stehen Eulen für die Rolle des klugen Beraters, so auch in Alan Alexander Milnes berühmtem Kinderbuch „Pu der Bär". So manches Mal hilft „Eule" dem Bären „von sehr geringem Verstand" aus der Patsche. Auch „Eule" trifft freilich nicht immer ins Schwarze, wenn sie dem pelzigen Titelhelden zum Beispiel rät, seinen Honig in die Erde zu pflanzen und so zu vermehren. Das aber tut ihrem Ansehen keinen Abbruch.

Ein Steinkauz soll es gewesen sein, der der weisen Athene als Bote diente. Da er eine der wenigen Eulen ist, die zum Teil auch tagsüber aktiv sind,

▲ Besonders Streuobstwiesen mag die kleine Eule gerne, denn in den Höhlen alter Obstbäume brütet sie mit Vorliebe.

vermochte er es wohl am ehesten, die Adressaten der göttlichen Mitteilungen zu den üblichen „Geschäftszeiten" anzutreffen. Mit seinen großen Augen, dem eulentypischen „Greisengesicht" und der Fähigkeit, „wissend" die Augenlider zu senken, wirkt er auf Menschen jedenfalls erfahren und gescheit.

Baumfixiert – und partnerfixiert

Klugheit wird ihnen also zumindest nachgesagt, treu sind sie aber auf jeden Fall – und zwar alljährlich ihrem Brutplatz. Männchen und Weibchen sind damit quasi zur Dauerehe „gezwungen". Überhaupt verlassen sie ihr Revier selbst in strengen Wintern nicht. Es liegt in offenen, spärlich bewachsenen Landschaften. Vor allem Streuobstwiesen, Kulturland und Steinbrüche bewohnen die Käuze, gelegentlich auch große Gärten und Parks. Höhenlagen über 500 Meter meiden sie allerdings.

Alte Bäume sind in der Brutzeit ein Muss, denn ihre Jungen ziehen die kleinen Eulen meist in Baumhöhlen alter Kopfweiden oder Obstbäume groß. Seit vielen Jahrhunderten brüten sie auch gerne in der Nähe des Menschen und nehmen dort mit künstlichen Nisthöhlen oder Nischen in Ruinen und verlassenen Gebäuden vorlieb. Das hat ihnen vermutlich den Namen „Stein"-Kauz eingetragen. Ihre drei bis sechs Eier bebrüten sie 24 bis 28 Tage lang, bevor die nackten und blinden Jungen schlüpfen. Hat der Nachwuchs mit knapp sieben Wochen das Nest verlassen, versorgen ihn die Eltern noch etwa einen Monat mit Nahrung. Ihre Beute wie Mäuse jagen Steinkäuze von Ansitzwarten aus oder aus dem niedrigen Flug. Aber auch zu Fuß sind sie emsig und erbeuten dabei Heuschrecken, andere Insekten oder Würmer.

Makellos war übrigens das Ansehen des Steinkauzes früher nicht: Sein gellender „Kuwitt"-Ruf wurde als ein „Komm mit" aus dem Reich des Todes gedeutet und trug ihm das Image des Unglücksvogels ein. Das ist vermutlich auch der Grund, warum Eulenrufe auch heute für uns „aufgeklärte" Menschen noch irgendwie unheimlich klingen …

Steinkauz *(Athene noctua)*

KÖRPERMERKMALE
Gesamtlänge: 21-23 cm; Flügelspannweite: 55-60 cm; Gewicht: 180-210 g (Weibchen tendenziell schwerer als Männchen)

NAHRUNG
Vor allem Feldmäuse, daneben andere kleine Nager, Regenwürmer, größere Insekten, Kleinvögel und Reptilien

ALTER
15 Jahre

◀ Das Nest haben sie zwar verlassen. Als „Ästlinge" sind die Jungkäuze aber noch darauf angewiesen, dass ihre Eltern sie mit Nahrung versorgen.

Der Kranich

Tänzer vor dem Herrn …

Kranich *(Grus grus)*

KÖRPERMERKMALE
Gesamtlänge 110-130 cm; Flügelspannweite 220-245 cm; Gewicht 6-7 kg (Weibchen meist leichter als Männchen)

NAHRUNG
Hülsenfrüchte, Getreidekörner, Früchte, Beeren, grüne Pflanzenteile, Wurzeln; Mäuse, Frösche, Schnecken, Insekten und Eier

ALTER
25-30 Jahre

Sie faszinieren durch ihre Schönheit und spektakuläre Tänze. Und wenn im Herbst Hunderte von Kranichen über den Himmel ziehen und bei uns rasten, ist das ein Naturschauspiel, das seinesgleichen sucht. Aus Skandinavien kommend, gehören die prächtigen Vögel dann fest zum „Inventar" einiger Ostseeinseln und der nordostdeutschen Küstenregion.

■ Immer öfter aber brüten die Kraniche auch bei uns. Besonders während der Balzzeit im Frühling spielt sich dann ein spektakuläres Ritual ab: der Tanz der Kraniche. In der Morgendämmerung laufen Männchen und Weibchen mit ausgebreiteten Flügeln sowie nickenden Köpfen umher, knicken in den Beinen ein, springen in die Höhe und schleudern Pflanzen und Gras in die Luft. Fortwährend ertönen dabei die lauten „Trompetenrufe". Am Ende der meist mehrtägigen Balz fordert das Weibchen schließlich das Männchen mit aufgerichtetem Oberkörper und abgewinkelten Flügeln unter gurrenden Lauten zum Aufspringen auf. Der Paarung folgen Nestbau und Eiablage.

▲ Ein Naturschauspiel ohnegleichen: Bis zu 2000 Kilometer ohne Unterbrechung können die Langstreckenflieger bewältigen!

◄◄ Eine schöne Entwicklung des eleganten Fliegers: Der herrliche Kranich brütet immer öfter bei uns.

Wachsam und listig

Zwei bis drei Eier legt das Weibchen in das Nest, das in Moor-, Sumpf- und Feuchtgebiete gebaut wird. Schon knapp zwei Tage, nachdem sie geschlüpft sind, verlassen es aber die Jungen. Bis sie mit etwa zwei Monaten fliegen können, stehen sie unter elterlichem Schutz. Feinde vertreiben die Altvögel beherzt durch Schnabelhiebe und Flügelschläge, bei überlegen Gegnern greifen sie zu einer List: Mit vorgestrecktem Hals, hängenden Flügeln und oft sogar hinkend mimt einer der Altvögel leichte Beute und lockt den Feind fort. Überdies sind Kraniche sehr wachsam: Unterschreitet eine potenzielle Bedrohung ihre „Fluchtdistanz" von rund 300 Metern, fliegen sie davon.

Im Herbst sammeln sich die Vögel, um im Keilflug zu den Winterquartieren in Südwesteuropa oder Nordafrika zu ziehen. Ein bis zwei Tage vor dem Abflug erfasst sie große Unruhe: Sie tanzen und rufen viel und sind sogar nachts munter. Etwa 100 Kilometer weit ist eine durchschnittliche Tagesetappe – die ausdauernden Flieger bewältigen jedoch sogar bis zu 2000 Kilometer nonstop! Schon im Februar kehren die ersten Vögel wieder zu uns zurück.

▼ Durchdringend und unverwechselbar: der Trompetenruf der Kraniche

Lebensraum Alpen

An sonnigen Tagen öffnen uns die Alpen das Herz. Der Ausblick über schneebedeckte Gipfel, steile Schluchten und reißende Gebirgsbäche ist überwältigend und lässt uns ehrfürchtig den Atem anhalten. Fast schlagartig aber kann sich das Bild ändern: Undurchdringlicher Nebel, tobende Unwetter und unaufhaltsame Lawinen zeigen die Macht der Naturgewalten im Hochgebirge deutlicher als in jeder anderen Landschaft. Wer unter solch extremen Bedingungen überleben will, muss sich anpassen. Viele Tiere haben das getan: Der majestätische Steinadler baut seinen Horst gerne auf unzugänglichen Felsvorsprüngen, Steinbock und Gämse bewegen sich mit traumwandlerischer Sicherheit in steilen Felspartien, und wo kein Wald mehr wächst, macht es sich auch das schrill pfeifende Murmeltier unter Matten und Almen gemütlich.

◀ Der mächtige Steinbock war bei uns einst ausgerottet: Heute lebt er wieder auf dem Dach Europas.

Das Murmeltier
Winterschläfer mit Pfiff

Mankei oder Murmentl, Mangelkatz, Murmandl – es gibt zahllose Regionalbezeichnungen für das Alpenmurmeltier. Der römische Schriftsteller Plinius nannte es sogar Alpenmaus, „weil es in den Löchern lebt und pfeift wie eine Maus". Dabei ist das Murmeltier weder eine Maus, noch lebte es – wie heute – immer nur in den Alpen.

▪ Früher war der Nager auch in den Tieflagen unseres Kontinents verbreitet, doch irgendwann wurde es ihm dort wohl zu warm. Im heutigen Europa lebt er jedenfalls nur noch in Gebirgslagen und dort in Extremfällen bis in 3000 Meter Höhe. Der Name Alpenmurmeltier ist etwas irreführend, denn natürliche Vorkommen gibt es auch in den Karpaten, zum Beispiel in der Hohen Tatra. Überall leben die Tiere jedoch nur regional begrenzt und kommen nicht flächendeckend vor. Der Mensch bürgerte das Mankei außerdem in den Ostalpen und in den Pyrenäen ein – und selbst im Schwarzwald, auf der Schwäbischen Alb und im Bayerischen Wald gibt es kleine Vorkommen.

▲ Auf und unter die Almen und Weiden der Hochgebirge hat sich das Murmeltier im Lauf der Zeit zurückgezogen. Einst lebte es auch im Tiefland.

„Ökonager" mit niedrigem Energieverbrauch

In den Gebirgen wohnt das Murmeltier oberhalb der Baumgrenze, meist in Höhen von 900 bis 2500 Metern. Da es dort im Winter recht unwirtlich ist, zieht es sich im Herbst zu einem rund sechsmonatigen Winterschlaf in ausgedehnte Baue zurück. Seine Körpertemperatur sinkt dabei auf unter fünf Grad ab, die Atmung reduziert sich auf zwei Züge und der Puls von 200 auf 20 Schläge je Minute. Die Tiere benötigen in diesem Zustand weniger als zehn Prozent der im Sommerhalbjahr verbrauchten Energie.

Kaum aus dem Winterschlaf erwacht, haben die Murmandln im Mai und Juni gleich die Liebe im Sinn: Nur eine frühe Paarung sichert dem Nachwuchs genügend Zeit, sich den überlebensnotwendigen Winterspeck anzufressen. Die Männchen beziehen nach geglückter Vereinigung sogenannte Ausweichbaue und leben während des Sommers allein. Die Weibchen gebären so ungestört nach etwa fünf Wochen Tragzeit zwei bis sieben Junge. Das jedoch nur, wenn sie körperlich topfit sind. Bis zu vier Jahren Pause liegen manchmal zwischen zwei Schwangerschaften.

Den schützenden Bau bewohnt ein Familienverband aus 15 bis 20 Tieren – ein erwachsenes Paar mit den Nachkommen verschiedener Jahrgänge. Außerhalb des Baus sind die Tiere stets äußerst wachsam. Gefahr droht ihnen vor allem durch den Steinadler und andere Greifvögel. Taucht ein Feind am Himmel auf, lässt der schrille Warnpfiff eines Tieres die ganze Sippschaft blitzartig wieder unter der Erde verschwinden.

Alpenmurmeltier
(Marmota marmota)

KÖRPERMERKMALE
Gesamtlänge: 50–70 cm (davon 10–20 cm Schwanz); Schulterhöhe: bis zu 20 cm; Gewicht: 3,5–8 kg (Männchen meist schwerer als Weibchen)

NAHRUNG
Gräser, Kräuter, Wurzeln, Blüten, im Sommer gelegentlich auch Insekten, Larven und Regenwürmer

ALTER
12–15 Jahre

◀ Ein Elternpaar wohnt mit seinen Kindern und Enkeln in einem Bau. Bis zu 20 Tiere können es sein.

Das Auerhuhn
Im Balzen unschlagbar

Auerhuhn (Tetrao urogallus)

KÖRPERMERKMALE
Hahn: Gesamtlänge 80-100 cm; Flügelspannweite ca. 90 cm; Gewicht 4-5,5 kg. Henne: Gesamtlänge 55-65 cm; Flügelspannweite ca. 70 cm; Gewicht 2-3 kg

NAHRUNG
Heidelbeere, Fichten-, Kiefernnadeln, Sämereien, Knospen; Küken auch Insekten und Würmer

ALTER
Etwa 12 Jahre

Der Auerhahn versteht sich aufs Balzen wie kein Zweiter – doch trotz seiner „Liebestollheit" ist dieses einzigartige Wildtier stark gefährdet. Wer den mächtigen „Urhahn" gerade bei seinem Werben einmal miterlebt hat weiß, welcher Verlust unserer Natur damit droht.

■ Mit seinem blauschwarzen Hals, dem kräftigen Feder-„Kehlbart", der metallisch grünen Brust und den leuchtend roten „Rosen" über den Augen ist der gänsegroße Auerhahn eine eindrucksvolle und durchaus selbstbewusste Erscheinung. Dass sich einzelne Tiere sogar gegenüber störenden Eindringlingen wie Wanderern oder Skilangläufern Respekt zu verschaffen wissen, ist immer wieder einmal der Presse zu entnehmen.

Wenn die Kavaliere im Frühjahr um die Gunst der Damen wetteifern, werden sie zu leidenschaftlichen Sängern, die mit hochgerecktem Kopf und breit gefächertem Schwanz wahre Balzarien vortragen. Das ist ein Naturschauspiel, wie es eindrucksvoller nicht sein könnte.

Stolzer Hahn – kluge Hennen

Rund drei Tage nach der Paarung legen die Hennen fünf bis zwölf Eier in eine einfache Bodenmulde und brüten knapp vier Wochen. Obwohl die Küken Nestflüchter sind, wärmt und schützt die Mutter sie unter ihrem Bauch und den Flügeln noch etwa drei Wochen lang. Henne, Eier und Küken sind in dieser Zeit leichte Beute für Feinde. Kein Wunder also, dass Auerhennen im Vergleich zu den größeren Hähnen klugerweise bestens getarnt sind.

Was unseren größten Hühnervögeln zum Glück fehlt, sind geeignete Lebensräume: lichte Fichten- und Kieferngehölze mit reichlich Bodenbewuchs, wo die Vögel ungestört Deckung und Nahrung finden können. Letztere besteht im Sommer überwiegend aus Beeren und Heidelbeerblättern, im Winter aus Nadeln und Baumknospen.

▲ Unscheinbar ist das Tarnkleid der Auerhenne.

◄◄ Auerhahn: Sein Liebeslied singt der leidenschaftliche Minnesänger an traditionellen Balzplätzen.

▼ Auch Birkhenne (links) und -hahn (rechts) unterscheiden sich deutlich.

Das Birkhuhn
Turniere der schwarzen Ritter

Dem Auerhuhn steht das Birkhuhn biologisch so nahe, dass beide sogar Nachkommen miteinander zeugen können: Heraus kommen dabei „Rackelhühner" oder „-hähne". Da sich diese allenfalls beschränkt fortpflanzen können, vermischen sich die Arten aber nicht wirklich.

Wenn es darum geht, zur Paarungszeit vor der Damenwelt eine Schau abzuziehen, braucht sich der Birkhahn nicht hinter dem großen Bruder zu verstecken: An traditionellen Balzplätzen plustern sich im März und April – manchmal dauert die Vorstellung bis Juni – gleich mehrere „Spielhähne" auf, springen in die Höhe und tragen Scheinkämpfe aus. Akustisch untermalen die „schwarzen Ritter" ihr Gehabe mit zischenden und glucksenden Lauten. Miterleben kann man dieses Schauspiel im verschneiten Hochgebirge ebenso wie in Mooren und Heidelandschaften der Ebene.

Birkhuhn
(*Lyrurus tetrix*, auch *Tetrao tetrix*)

KÖRPERMERKMALE
Hahn: Gesamtlänge 50-60 cm; Flügelspannweite ca. 75 cm; Gewicht 1-1,8 kg. Henne: Gesamtlänge 40-45 cm; Flügelspannweite ca. 65 cm; Gewicht 750 g-1,1 kg

NAHRUNG
Fast ausschließlich pflanzlich: Sämereien, junge Triebe und Knospen, Blüten und Beeren. Nur gelegentlich Insekten. Die Küken fressen dagegen fast nur Spinnentiere, Insekten und Larven.

ALTER
10-12 Jahre

Der Steinadler
Herrscher des Himmels

Nicht von ungefähr trägt er auch den Titel „König der Lüfte". Wer je gesehen hat, wie erhaben der Steinadler seine Kreise zieht, weiß warum. Kaisern und Königen dienten die Adler als Symbole ihrer Macht und auch heute noch zieren sie die Wappen Deutschlands, Polens und Österreichs.

■ Weltweit ist der Steinadler beinahe über die ganze Nordhalbkugel verbreitet und damit weiter als alle anderen Adlerarten. In Mitteleuropa kommt er aber fast nur noch im Alpenbogen vor – in den tieferen Lagen rottete ihn der Mensch aus. Bei uns lebt er heute nur noch in Bayern.

Im Tiefflug überrascht er Ahnungslose

Wenn der Steinadler jagt, wird es für andere Tiere ernst. Seine ausnehmend kräftigen Füße, die „Fänge", enden in dolchartig spitzen Krallen. Mit diesen furchterregenden Waffen vermag er Reh-, Gams- oder gar Steinbock-

▲ Majestät mit scharfem Blick. Er ist in den Alpen der unumstrittene König der Lüfte.

kitze zu schlagen. Er tötet seine Opfer, indem er ihnen blitzschnell die Krallen durch die Schädeldecke bohrt.

Huftiere erbeutet der Greif aber eher selten, häufiger hat er es auf Murmeltiere, Hasen, Marder, Füchse, Auer- und Birkhühner und andere Vögel abgesehen. Seine Beute jagt er häufig im bodennahen Tiefflug, jede Deckung ausnutzend. Hat er sie mit scharfem Blick erspäht, rückt er ihr im Stoßflug zu Leibe. Meist schlägt er seine Opfer am Boden, Vögel greift er manchmal auch in der Luft. Dazu kann er sich sogar auf den Rücken drehen und sie von unten packen.

Wenig zimperlich geht es auch unter den meist zwei Jungvögeln zu. Oft tötet der Erstgeschlüpfte das kleine und schwächere Geschwisterchen, allerdings nicht so regelmäßig wie beim Schreiadler, sondern vor allem dann, wenn die Nahrung knapp ist. Spät im Leben, erst mit sechs Jahren werden Steinadler geschlechtsreif. Dem Partner halten sie lebenslang die eheliche Treue.

Ein Paar baut mehrere Horste in Felswänden oder auf hohen Bäumen. Die restaurieren und nutzen sie im Wechsel immer wieder. Bis zu drei Meter Durchmesser und zwei Meter Höhe können die Horste im Lauf der Zeit erreichen. Das sind mächtige Bauwerke von mächtigen, majestätischen Vögeln – die ihre Schwingen irgendwann vielleicht auch über die Alpenregion hinaus ausbreiten ...

Steinadler (Aquila chrysaetos)

KÖRPERMERKMALE
Männchen: Gesamtlänge 75-85 cm; Flügelspannweite 190-210 cm; Gewicht 2,8-4,6 kg
Weibchen: Gesamtlänge 85-95 cm; Flügelspannweite 200-225 cm; Gewicht 3,8-6,7 kg

NAHRUNG
Nager wie Mäuse, Ratten und vor allem Murmeltiere, Hasen, Füchse, Marder, Reh-, Gams- und Steinbockkitze, Auerhuhn, Birkhuhn und andere Vögel

ALTER
20-30 Jahre

◀ In dem riesigen Horst wird oft nur ein Junges groß. „Brudermord" ist bei den Adlern an der Tagesordnung.

Der Kolkrabe
„Fliegendes Kreuz" mit hohem IQ

Selbst auf große Distanz sind sein Kopf und der klobige Schnabel noch gut zu erkennen. Allein dadurch unterscheidet sich das „fliegende Kreuz" des Kolkraben in der Luft vom „fliegenden T" der kleineren Krähen-Verwandten. Ein weiteres Merkmal ist der keilförmige Schwanz. Letzte Zweifel beseitigt fast immer der Ruf, denn der große Rabenvogel hält nur selten den Schnabel.

■ Sein eigenes Rufrepertoire ist schon erstaunlich genug, doch darüber hinaus imitiert er gern und verblüffend gut artfremde Laute. Dass der Kolkrabe nach unseren Maßstäben nicht nur deswegen zu den „intelligentesten" Vögeln der Erde zählt, schützte aber auch ihn nicht davor, in Mitteleuropa fast völlig ausgerottet zu werden. Nur wenigen anderen Tieren stellte der Mensch gnadenloser nach.

▲ Der klobige Schnabel ist eines seiner Markenzeichen. Viele Lebensräume hat sich heute der große und clevere Rabenvogel zurückerobert.

Prämierte Massenabschüsse, gezielt ausgelegte Giftköder und die Vernichtung seiner Bruten machten den einstigen Allerweltsvogel vor 100 Jahren zu einer Seltenheit. Im damaligen Deutschen Reich überlebten letzte

Reste nur noch in den Alpen, in Schleswig-Holstein und in Ostpreußen. Das übliche Konkurrenzdenken, aber auch irrationale Motive „beflügelten" die Verfolgungswut der Menschen: Lange genoss der Kolkrabe das zweifelhafte Image des „Galgenvogels" und „Unglücksraben". Ausgerechnet der wohl finstersten Epoche deutscher Geschichte verdankt er seine Rettung: Das Reichsjagdgesetz gewährte ihm 1934 Vollschonung. Die wusste der Rabe zu nutzen – so dass er heute wieder in weiten Teilen unseres Landes „kreuzt", vor allem in den Alpen.

Cleverer „Abstauber"

Bereits im Januar vollführt das Raben-Dauerehepaar akrobatische Balzflüge im angestammten Brutrevier – streckenweise sogar mit dem Rücken zur Erde. Im Februar errichten die geschickten Baumeister ihre Felsen- oder Baumhorste und ziehen bis April oder Mai drei bis sechs Junge darin groß. Mit Ende des Sommers nomadisieren halbwüchsige Jungvögel in größeren Schwärmen umher.

Außer unglaublicher Flexibilität bei der Nahrung beweist der größte Singvogel der Erde seine Cleverness auch bei ihrer Beschaffung: In Schafzuchtgebieten „überwacht" er zur Geburtszeit der Lämmer die Herden, um die Nachgeburten zu ergattern. Ab und zu soll er sich auch an schwachen Lämmern vergreifen … Und sogar bei den zweibeinigen Jägern „staubt er ab": Vor allem Hochgebirgsjäger berichten, dass kurz nach einem Schuss häufig Kolkraben am Himmel erscheinen – in Erwartung verwertbarer Jagdabfälle …

Freunde hat der Kolkrabe in der eigenen „Familie" der Rabenvögel allerdings nicht. Während Krähen, Dohlen und Elstern einander bei der Vertreibung von Greifvögeln helfen, behandeln sie den großen Bruder wie einen Feind. Schon Konrad Lorenz, der Altmeister der Verhaltensforschung, schrieb 1931, dass der Kolkrabe „außerhalb des Schutz- und Trutzbündnisses" der Rabenvögel stehe. Wenig verwunderlich, denn bei Gelegenheit stiehlt „der Große" auch „den Kleinen" ihre Eier oder Jungvögel.

Kolkrabe (Corvus corax)

KÖRPERMERKMALE
Gesamtlänge 54-67 cm; Flügelspannweite 115-130 cm; Gewicht 1,1-1,3 kg (Männchen unwesentlich größer und schwerer als Weibchen)

NAHRUNG
Allesfresser mit höheren Anteilen fleischlicher Nahrung: größere Insekten, Regenwürmer und weitere Wirbellose, kleine Wirbeltiere aller Art und deren Entwicklungsstadien wie Vogeleier; Aas; Früchte, Mais und andere landwirtschaftliche Produkte; Nahrungsabfälle aller Art

ALTER
20-30 Jahre

▼ Links: Der schwarz-glänzende Rabe ruft gerne und hat ein beeindruckendes Laut-Repertoire. Rechts: Flugakrobaten – vor allem in der Balzzeit.

Der Alpensteinbock
„Wunderheiler" zwischen Fels und Eis

Lange bevor „Freeclimbing" in den bunten Reigen der Extremsportarten aufgenommen wurde, turnte er bereits mit traumwandlerischer Sicherheit über schmale Felsbänder und Vorsprünge. Wer den imposanten Steinbock wie selbstverständlich im blanken Fels herumspringen sieht, hält unwillkürlich und bewundernd den Atem an.

▪ Auch wenn seine fast schon plumpe Gestalt kaum dem Bild eines geschmeidigen Kletterakrobaten entspricht, ist er wie geschaffen für das Leben in kalten Felsregionen und schwierigem Terrain. Der gedrungene Leib mit verhältnismäßig kleinem Kopf und relativ kleinen Ohren bietet der Kälte wenig Angriffsfläche. Die kurzen, muskulösen Beine bewältigen steile Felspartien mühelos, die breiten und weit spreizbaren Hufe mit ihren weichen Ballen und harten, scharfkantigen Rändern sichern auch auf den kleinsten Felsunebenheiten Halt. So können das männliche Tier, den Bock, nicht einmal seine wuchtigen, bis zu 1,30 Meter langen Hörner aus dem Gleichgewicht bringen.

▲ Muskulös und kompakt – und doch bewegt sich das mächtige Tier mit spielerischer Leichtigkeit in steilen Felswänden.

Auch die Weibchen tragen – deutlich kleinere – Hörner (Foto S. 82 links oben), aber nur die Böcke benutzen ihren Kopfschmuck als Waffe. Wenn es im Dezember und Januar darum geht, sich fortzupflanzen, kommt es unter ihnen zu mitunter schweren Kämpfen. Dabei richten sich die Widersacher auf den Hinterbeinen auf und knallen von oben herab lautstark ihre Hörner gegeneinander. Nur der Stärkste darf sich anschließend mit den Weibchen, den Geißen, paaren.

Im Mai oder Juni bringen diese dann neue „Klettermaxe" zur Welt – jede Geiß meist ein Kitz, selten zwei. Steingeißen leben zusammen mit ihren Kitzen, jungen Böcken und manchmal einzelnen alten „Recken" in Rudeln. Werden die Jungböcke mit zwei bis vier Jahren geschlechtsreif, verlassen sie die Damenschar und schließen sich mit anderen zu reinen Herrengesellschaften zusammen. Ab und zu muss dann die Rangordnung ausgefochten werden. Die Bockrudel streifen im Herbst teilweise weiter umher und lösen sich wieder zur Brunft auf.

Unter königlichem Schutz

In dem Kletterkünstler sahen unsere Ahnen eine Art „Heilsbringer" und wandelnde Apotheke. Dem „Herzkreuz" der Tiere – einer verknöcherten Sehne des Herzmuskels –, den „Bezoaren" – Bällen aus unverdaulichen

▼ Im Spiel trainieren bereits die jungen Steinböckchen, ihre noch kleinen Hörner einzusetzen.

Haaren und Pflanzenfasern in den Pansen-Mägen – und den pulverisierten Hörnern maßen die Menschen wundersame Heilkräfte bei. So war der heiß begehrte Alpensteinbock im 19. Jahrhundert fast völlig ausgerottet: Nur rund 100 Tiere existierten noch am Gran Paradiso im nordwestitalienischen Aostatal. Italiens König Viktor Emanuel II. stellte sie 1854 unter seinen persönlichen Schutz. Von diesen Tieren ausgehend, lebt der Steinbock dank Auswilderung heute wieder in weiten Teilen seines ehemaligen Verbreitungsgebietes – und zwar zwischen der Wald- und Eisgrenze auf bis zu 3500 Metern Höhe. In die Schweiz gelangte er 1906 sogar gegen das Exportverbot des italienischen Königs als „Schmuggelware". In Deutschland kommt der Steinbock lokal in den Bayerischen Alpen vor.

Alpensteinbock *(Capra ibex)*

KÖRPERMERKMALE
Männchen (Bock): Gesamtlänge 125-165 cm, Schulterhöhe 70-95 cm; Gewicht 40-120 kg; Weibchen (Geiß): Gesamtlänge 105–135 cm, Schulterhöhe 60-80 cm; Gewicht 25-50 kg

NAHRUNG
Hochgebirgsvegetation: Gras, Kräuter, Moose, Flechten, (verholzte) Triebe und Knospen, im Winter auch Fichtennadeln und dürres Gras

ALTER
15–20 Jahre

▶ Markanter Steinbock: Kräftige Schmuckwülste zieren die ohnehin schon beeindruckenden Hörner.

▶▶ Die Gämse steigt vor allem im Sommer bis über die Baumgrenze hinaus.

Die Gämse
Ein Draufgänger mit „Pech"

Die Gämse wohnt eine Alpen-Etage tiefer als der Steinbock, steigt aber im Sommer aus dem oberen Waldgürtel auch in Felsregionen hinauf. In Mittelgebirgswäldern kommt sie auch vor – zum Beispiel im Schwarzwald, im Donautal und im Elbsandsteingebirge. Klettern kann sie nicht ganz so brillant wie der Steinbock, aber immer noch gut genug, um Bergsteiger vor Neid erblassen zu lassen. Ihre körperliche Ausstattung kommt jedenfalls ebenso locker durch den „Gebirgs-TÜV" wie die des größeren Vetters.

Auch Gämsen leben nach Geschlechtern getrennt in Rudeln. Betagte Herren sind meist Einzelgänger. Hörner tragen Männlein wie Weiblein. Diese „Krucken" sind oft von Harz, dem sogenannten Pech, überzogen, da die Tiere die Kopfeszier zur Markierung ihrer Reviere an Bäumen und Sträuchern reiben.

Kräftezehrendes Liebesleben

Mit zwei bis drei Jahren nehmen die dann geschlechtsreifen Tiere an der ausgesprochen lebhaften Paarungszeit im November und Dezember teil. Die Böcke wachen über die Weibchen, liefern sich wilde Verfolgungsjagden und auch verletzungsträchtige Kämpfe. Und sie specken tüchtig ab. Bricht dann früh ein strenger Winter herein, muss mancher seine Liebeskapriolen mit dem Leben bezahlen.

Ende Mai, Anfang Juni gebären die Geißen ein Kitz, seltener zwei oder sogar drei. Im Hochgebirge drohen dem Nachwuchs anfangs viele Gefahren: Neben Steinadler und Luchs zählen dazu Steinschlag und Lawinen – unvorsichtige Kitze stürzen auch schon einmal ab… Das Leben unter solch extremen Bedingungen fordert eben seinen Tribut.

Gämse *(Rupicapra rupicapra)*

KÖRPERMERKMALE
Männchen (Bock): Gesamtlänge 120-135 cm, Schulterhöhe 75-85 cm; Gewicht 35-50 kg
Weibchen (Geiß): Gesamtlänge 110-120 cm, Schulterhöhe 60-80 cm; Gewicht 25-40 kg

NAHRUNG
Gräser, Kräuter, Laubblätter, Triebe und Sträucher, vor allem im Winter auch Moose und Flechten

ALTER
15-20 Jahre (Geißen werden meist älter als Böcke)

Lebensraum Küste und Meer

Wo kann man die Seele besser „baumeln lassen" als am Meer? Dort, wo der Blick weiter und weiter über das Wasser gleitet und erst am Horizont „vor Anker" geht. Unendlichkeit vermittelt die See, aber auch Beständigkeit: Seit Jahrtausenden schickt sie ihre Wellen gegen den Strand, im steten Wechsel von Ebbe und Flut. An der Nordsee gibt das zurückweichende Wasser gar eine nahezu grenzenlose Landfläche frei, um sie bei Flut wieder zu erobern. Das einzigartige Wattenmeer strotzt vor Leben: Millionen von Vögeln rasten dort auf ihrem Zug um die halbe Welt, zahllose Fischarten verleben ihre „Kindheit" darin. Neben dem schnellen Schweinswal und dem taucherprobten Seehund bewohnen es auch Einsiedlerkrebs und Auster, deren Lebensweise ganz Erstaunliches zu bieten hat ...

◀ Der Austernfischer und sein typischer Ruf gehören zu unseren Küsten einfach dazu.

▲ Tausende von Brandgänsen wechseln im Wattenmeer ihr Federkleid.

Vogelparadies Wattenmeer

Enten, Gänse, Limikolen ...

Mächtige Gletscher formten das Wattenmeer während der Eiszeiten. Wie eine glattgeschliffene Pfanne wirkt es bei Ebbe aus der Luft – für die Vogelwelt Europas ist es ein einzigartiger und lebenswichtiger Naturraum. Zehn bis zwölf Millionen Zugvögel rasten dort jedes Jahr.

■ Vor rund 1000 Jahren begann der Mensch, der Nordsee und ihren Gezeiten die Herrschaft über die Küste streitig zu machen: Über Jahrhunderte hinweg versuchte er, dem Meer Land abzuringen und es durch Deiche dauerhaft zu sichern. Doch der „blanke Hans" schlug zurück. In schrecklichen Sturmfluten wie der „Groten Mandränke" im Jahr 1362 oder der „Burchardiflut" von 1634 durchbrach er die ausgetüftelten Bauwerke des

Menschen, riss gewaltige Landmassen unwiederbringlich an sich und tragischerweise auch Tausende von Menschen in den Tod.

Weltweit einzigartiger Lebensraum

Für die Vögel ist diese weltweit einzigartige Region ein reiner Segen. Viele brüten in den geschützteren und weitgehend trockenen Teilen des Wattenmeers. Für zahllose Arten aber, vor allem Enten-, Gänse- und Watvögel, hat dieser Teil der Nordsee vor allem als Rastplatz oder Überwinterungsgebiet unschätzbar große Bedeutung. Wenn sie aus ihren skandinavischen und subarktischen Brutgebieten in die warmen Winterquartiere ziehen, nutzen sie das Land „zwischen Ebbe und Flut" für einen ausgedehnten Zwischenstopp. Sie laden ihre „Akkus" neu auf – oder verbringen sogar den ganzen Winter dort.

Ihre Federn wechseln 180 000 bis 200 000 Brandgänse im Wattenmeer – nahezu der gesamte Bestand ganz Nordwesteuropas. Zum Teil leben sie dauerhaft dort, zum Teil sind es „Gastvögel". Gleiches gilt für die Eiderente, deren Daunen so begehrt sind: Rund 250 000 dieser Entenvögel veranstalten hier eine regelrechte Massenmauser.

Unter den Gänsen sind es vor allem Ringelgänse, die den Winter dort verbringen und an Flachküsten, gelegentlich aber auch im Binnenland nach Nahrung suchen. Zum Winterausgang kehren sie dann wieder in ihre arktischen Brutgebiete zurück. Nahezu immer ist auch die Kanadagans mit ihren markanten weißen Flecken auf den Kopfseiten im Wattenmeer zu beobachten. Einst nur in Nordamerika beheimatet, leben viele von ihnen längst schon ganzjährig in Deutschland. Auch die Graugans räumt ihre Brutgebiete an der Nordseeküste im Winter längst nicht mehr regelmäßig. Dann gesellen sich zu den heimischen Graugänsen überdies viele weitere aus Island und Skandinavien.

▲ Von oben nach unten: Brandgans und Eiderente leben stellenweise ganzjährig bei uns. Die Ringelgans dagegen brütet in der Arktis und taucht nur im Winter auf.

◀ Ursprünglich in Nordamerika beheimatet, hat die Kanadagans Einzug in unsere Wildbahn gehalten.

▲ Oben: Fliegende Graugänse – Fernweh erwacht ... Mitte: Knutt bei der Nahrungssuche. Unten: Alpenstrandläufer sind häufig in Trupps unterwegs.

Schier unglaubliche Scharen sogenannter Watvogelarten oder auch Limikolen bevölkern das Wattenmeer zur Zugzeit. Da ist zum einen der Knutt. Der nur etwa amselgroße Schnepfenvogel ist ein ausgesprochener Marathonflieger, der es auf bis zu 5000 Kilometer im Nonstop-Flug bringt! In Sibirien brütende Knutts ziehen bis nach Südwest-Afrika. In riesigen Trupps legen sie im Wattenmeer eine Zwischenstation ein. Um für den Weiterflug gerüstet zu sein, nehmen sie dort auf den Watt- und Schlammflächen, rastlos hin- und hertrippelnd, ungeheure Nahrungsmengen auf – und verdoppeln dabei fast ihr Gewicht. Brutvögel aus Grönland und Kanada verbringen den ganzen Winter im Wattenmeer.

Ein weiterer Wintergast unter den Schnepfenvögeln ist der ebenfalls nur etwa starengroße Alpenstrandläufer. Anders als der Name vermuten lässt, brütet dieser Vogel nicht in den Alpen, sondern auf Island, an den Küsten Skandinaviens und im Nordwesten Russlands. Wird es ihm in seinen Brutgebieten zu kalt, taucht er in riesigen Scharen im Wattenmeer auf, rastet oder überwintert dort. Wer sie in großen „Wolken" fliegen und dabei atemberaubende Manöver vollführen sieht, fühlt sich unweigerlich an Starenschwärme erinnert.

Größer und wesentlich auffälliger als Knutt und Alpenstrandläufer ist der Austernfischer mit seinem knallroten Schnabel, dem schwarzen Rücken und dem weißen Bauch. Er lebt ganzjährig im Wattenmeer, erhält während des Winters aber Besuch von seinen weiter nördlich brütenden Artgenossen. Austernfischer sind kaum zu überhören, wenn sie in großen Gruppen im Watt auf der Suche nach Muscheln, Borstenwürmern, Krebsen und Insekten sind.

An seinem aufwärts gebogenen langen Schnabel ist der knapp 50 Zentimeter große Säbelschnäbler ebenso leicht von anderen Limikolen zu unterscheiden wie an seinem markant schwarz-weiß gezeichneten Gefieder. An der Nordseeküste ist er Brutvogel und lebt stellenweise auch ganzjährig dort. Ziehende Vögel tauchen häufig im Wattenmeer auf, ihr Winterquartier beziehen sie dort aber eher selten: Die Küsten Westeuropas und des Mittelmeers reizen sie mehr.

Weiter noch, bis nach Westafrika, fliegt der Kampfläufer, wenn er auf seinem Zug aus den Brutgebieten in Nord- und Nordosteuropa im Wattenmeer neue Kraft getankt hat. Als Durchzügler ist er an der Nordseeküste regelmäßig zu beobachten. Nur selten aber brütet er auch in Norddeutschland. In der ersten Jahreshälfte präsentiert sich das Männchen in einem auffälligen Prachtkleid oder Brutgefieder. Seine Kopf- und Halsfedern kann es dann zu einer Haube und einem regelrechten Kragen aufstellen. Derart schmuckes Beiwerk hat natürlich eine Funktion: Im Frühjahr präsentieren sich die Männchen damit der Damenwelt und hoffen darauf, auserwählt zu werden.

Ein ganzes Buch könnte man mit den Vogelarten füllen, die ohne das Wattenmeer als Lebensraum zum Untergang verurteilt wären. Nicht zuletzt deshalb wurde dieses landschaftliche Juwel mit Ausweisung der drei Nationalparke Hamburgisches, Niedersächsisches und Schleswig-Holsteinisches Wattenmeer unter Schutz gestellt. Zu Recht, denn einen behutsamen Umgang mit dem einzigartigen Naturraum sind wir den nachfolgenden Generationen – Vögeln wie Menschen – schuldig.

▲ Unverwechselbar ist der Austernfischer mit seinem schwarz-weißen Federkleid und dem knallroten Schnabel.

▼ Links: Nomen est omen: Der Schnabel ist das Markenzeichen des Säbelschnäblers. Rechts: Kampfläufer im Brutkleid. Das Männchen imponiert mit Haube und Kragen den Damen.

Der Seehund
Kontaktscheuer Tieftaucher

▲ In der Nordsee ist der Seehund „allgegenwärtig", in der Ostsee dagegen eine echte Rarität.

▶▶ Jungtier: Wer kann diesen Augen widerstehen ... ?

Fast schien es um die drolligen Flossenträger in Nord- und Ostsee geschehen, denn 1988 und 2002 fiel etwa die Hälfte des nordeuropäischen Bestandes der tödlichen Seehund-Staupe zum Opfer. Doch glücklicherweise konnten sich die Tiere beide Male erholen und „lümmeln" heute wieder putzmunter auf Stränden und Sandbänken herum.

■ Bis zu 200 Meter tief und eine halbe Stunde lang kann der Meeressäuger im Extremfall tauchen. Meist bewegt er sich aber in flacherem Wasser und schnappt deutlich öfter nach Luft. Bei uns ist er in der Nordsee fast allgegenwärtig. In der Ostsee dagegen sind die flinken Fischjäger ausgesprochen selten und nur an den Küsten mancher dänischer Inseln und Südschwedens anzutreffen.

Die Tiere ruhen gerne in größeren Gruppen auf trockengefallenen Sandbänken oder Felsen – in vielen Urlaubsorten an der Nordsee gehören Ausflugsfahrten zu solchen „Seehundbänken" zum festen Angebot. Dann lässt sich gut beobachten, dass Seehunde Einzelgänger sind – sie halten immer Abstand zueinander. Rückt ihnen ein Artgenosse zu dicht auf die Pelle, reagieren sie schnell aggressiv.

Sex im Wasser

Wenn sie nicht gerade ruhen, tummeln sich Seehunde überwiegend im Wasser, von ihrem extrem dichten Fell und einer ansehnlichen Fettschicht gegen Kälte gut geschützt. Selbst die Paarung findet im Wasser statt. Mehrere Männchen versuchen, auf den Rücken eines Weibchens zu gelangen. Das ist wohl nicht sehr charmant, denn das Weibchen wehrt sich mit Bissen und Fluchtversuchen. Schließlich triumphiert ein Männchen, indem es die Dame mit einem Biss in den Nacken ruhig stellt.

Zur Geburt und zum Säugen der Jungen verlassen die Weibchen das salzige Nass. Nach elf Monaten Tragzeit bringen sie auf einer Klippe oder Sandbank ein Junges zur Welt. Und zwar ruckzuck: Denn bereits beim nächsten Hochwasser müssen beide schwimmen. Schon nach einem Monat hat das Junge dank der äußerst nahrhaften Muttermilch sein Gewicht verdoppelt. Mit rund acht Wochen wird es in die Selbstständigkeit entlassen.

Sogenannte „Heuler" sind junge Seehunde, die ihre Mutter vorzeitig verloren haben und nun verzweifelt nach ihr rufen. In solchen Fälle nehmen sich Helfer speziell errichteter Seehund-Stationen der hilflosen Tiere an, um sie hochzupäppeln und später wieder in die Freiheit zu entlassen.

Seehund *(Phoca vitulina)*

KÖRPERMERKMALE
Männchen: Gesamtlänge
130-195 cm; Gewicht 100-200 kg
Weibchen: Gesamtlänge
120-170 cm; Gewicht 45-100 kg

NAHRUNG
Fische aller Art, Krebse, Tintenfische, Meeresschnecken

ALTER
25-40 Jahre

▼ Seehunde achten nicht gerade auf eine „schlanke Linie". Zusammen mit dem dichten Fell ist die Fettschicht ein echter Kälteblocker.

Die Kegelrobbe
Nimmersatter Fischfresser

Kegelrobben sind die größten frei lebenden Raubtiere Deutschlands! Sie leben vor allem in der Ostsee, wo sie wegen starker Bejagung und hoher Giftstoffbelastung in den 1980er-Jahren allerdings knapp vor dem Aus standen. Dank strenger Schutzmaßnahmen geht es heute aber wieder aufwärts mit ihnen – die Kegelrobbe ist in der Ostsee sogar häufiger als der Seehund.

Der Pascha und sein Harem

Seinen Namen verdankt der schwergewichtige Fischjäger entgegen landläufiger Meinung nicht dem spitz zulaufenden Kopf, sondern seinen kegelförmigen Backenzähnen. Das Tauchen nach Beute beherrscht er ähnlich gut wie der Seehund. Rund zehn Kilogramm Fisch täglich müssen dabei für eine ausgewachsene Kegelrobbe herausspringen. Zur Paarungszeit finden sich die Tiere an Küsten meist zu kleinen Kolonien aus sechs bis sieben Weibchen und einem Männchen zusammen. In größeren Kolonien mit mehreren Männchen versucht jeder Pascha, einen Harem zusammenzuhalten. Die Jungen bleiben – anders als Seehunde – rund einen Monat auf sicherem Land, ehe sie erstmals ihre Flossen ausprobieren.

Kegelrobbe
(Halichoerus grypus, Ostsee-Unterart: *Halichoerus grypus balticus)*

KÖRPERMERKMALE
Männchen: Körperlänge 2,3-3,3 m; Gewicht 200-310 kg
Weibchen: Körperlänge 1,6-2,5 m; Gewicht 100-200 kg

NAHRUNG
Überwiegend Fische, v. a. Lachs, Dorsch, Hering, Makrele sowie Plattfische; aber auch Schnecken oder Garnelen

ALTER
20-45 Jahre

◀ Die Kegelrobbe – das größte wild lebende Säugetier Deutschlands. Den Namen hat sie ihren kegelförmigen Zähnen zu verdanken.

▼ Ein Bild der Harmonie:
Kegelrobben-Mama mit ihrem Jungen

Der Seestern
Überlebensgenie mit fünf Armen

Orange bis rötlich, manchmal bräunlich, violett oder hellgrau kommt der Gewöhnliche Seestern daher und in aller Regel mit fünf Armen. Dafür hat die Natur an anderer Stelle gespart: Den vielarmigen Meeresbewohnern fehlt es an Herz und Gehirn. Ein Nerven- und ein Wassergefäßsystem reichen ihnen aus.

■ Auch sonst ist der Seestern „etwas anders". Er bewegt sich mit seinen Armen fort, an deren Unterseiten zahlreiche Saugfüßchen sitzen. Diese dehnen sich gruppenweise in eine Richtung, heften sich fest und ziehen so den Körper nach. Geschwindigkeitsrekorde stellt er damit nicht auf: Keine zehn Zentimeter pro Minute schafft der „Fünfarm" auf diese Weise.

Schier unglaublich ist dafür sein Appetit: Seesterne können leicht ein Mehrfaches ihres Eigengewichts verzehren. Der Mund befindet sich auf der Unterseite der zentralen Körperscheibe. Ihren Magen können die Tiere herausstülpen, um auf diese Weise zum Beispiel eine Muschel außerhalb ihres Körpers zu verdauen. Weil Muscheln das nicht mögen, reagieren

▲ Herz und Hirn hat er zwar nicht, aber seinen Magen kann er aus dem Mund hinausstülpen: Der Seestern ist „etwas anders" ...

sie dabei eher verschlossen: Die Saugarme des Seesterns müssen also die Schalen mit ganz viel Kraft auseinanderziehen. Die Reste seiner Mahlzeiten scheidet der Seestern übrigens an der Oberseite seines Körpers aus – dort sitzt also gewissermaßen sein „Popo".

Äußere Reize mechanischer, chemischer und optischer Natur nehmen Seesterne über einfache Sinneszellen wahr. An den Spitzen ihrer Arme haben sie beispielsweise mehrere Lichtsinneszellen, die zusammen eine Art primitives Auge bilden.

Von Romantik keine Spur

Recht unromantisch ist das Liebesleben der Fünfarmigen. Die Männchen geben durch die Mundöffnung ihre Spermien einfach ins Wasser ab. Das wiederum ermuntert die Weibchen, gleiches mit den Eiern zu tun. Sehr zielgerichtet ist das nicht: Um die Trefferquote zwischen Spermien und Eiern zu erhöhen, finden sich deshalb zur Laichzeit mehrere Tiere zusammen. Millionen befruchteter Eier werden später zu Schwimmlarven, die sich irgendwann am Meeresboden festsetzen und zu kleinen Seesternen entwickeln.

Als wäre das alles nicht erstaunlich genug, können sich Seesterne aber auch noch auf andere Weise vermehren: Verlieren sie einen Arm oder werden gar in der Mitte durchgetrennt, vermögen sie nicht nur das verlorene Körperteil zu ersetzen. Aus dem abgetrennten Arm entsteht wundersamerweise sogar gleich noch ein neuer, ganzer Seestern …

Seestern *(Asterias rubens)*

KÖRPERMERKMALE
Größe: 15–50 cm (inklusive Arme)

NAHRUNG
Muscheln, Schnecken, Seeigel, Einsiedlerkrebse und Krabben

ALTER
6-7 Jahre

▼ Guten Appetit! Was dieses Tier gerade frisst, bleibt sein kulinarisches Geheimnis …

Die Auster
Harte Schale, weicher Kern

Wer an Austern denkt, dem kommen wohl zuerst kostbare Perlenketten und eine exklusive Küche in den Sinn. Sie auf einen nützlichen Schmucklieferanten und erlesene Speise zu reduzieren, wird dieser Muschel aber sicher nicht gerecht.

▪ Trotz ihrer harten Schale sind Austern Weichtiere. Die fast kreisrunde, in der Nordsee und in der westlichen Ostsee heimische Europäische Auster lebt in flachen Küstengewässern. Buchten mit stabilem Salzgehalt sagen ihr besonders zu. Sauber muss das Wasser sein, denn auf Schmutz und Viren reagiert sie ausgesprochen empfindlich.

Neben Meeresverschmutzung und Übernutzung der Bestände macht Freunden des europäischen Hartschalers dessen asiatische Verwandtschaft Sorgen: Die Pazifische Felsenauster – in den 1960er-Jahren mit „kulinarischen Zuchtzielen" in die Nordsee entlassen – breitet sich mächtig aus und überwuchert ganze Muschelbänke. Der Europäerin, und auch der heimischen Miesmuschel, droht dadurch möglicherweise die Verdrängung.

▲ Typisch für Muscheln und gut zu erkennen: Die Wachstumszonen auf der Schale.

▶▶ Perlen entstehen, wenn Fremdkörper mit Perlmutt unschädlich gemacht werden.

Perlen produziert die Auster natürlich nicht, um die Hälse vermögender Damen besser zur Geltung zu bringen. Vielmehr macht sie durch diesen Verwachsungsprozess Parasiten und Fremdkörper unschädlich, die in ihr Inneres eingedrungen sind: Drüsen in den Schalen produzieren Perlmutt. Darin wird der Eindringling „eingepackt", bevor er Schaden anrichten kann. Es entstehen dabei aber nur äußerst selten wirklich wertvolle Perlen.

Heute Mann – morgen Frau

Ihr Sexualleben regeln die Muscheln ganz praktisch: Sie sind Hermaphroditen, also eine Art Zwitter. Die meisten Austern sind im ersten Jahr männlich – ein Teil verwandelt sich aber später zu Weibchen. Während es die asiatische Variante damit meist gut sein lässt, wechseln europäische Austern häufig auch später immer wieder einmal das Geschlecht. Die Weibchen saugen das Sperma der Männchen an und lassen ihre bis zu zwei Millionen Eier davon in der eigenen Schale befruchten. Nach etwa zehn Tage stoßen sie dann die Larven aus.

Dass Austern übrigens schon immer gerne verspeist wurden, liegt wohl nicht an ihrem Geschmack und „Vitamingehalt" allein, sondern auch an männlicher Eitelkeit: Triebsteigernde Wirkung soll das Fleisch haben. Niemand geringerer als Giacomo Casanova höchstpersönlich schrieb einmal, dass 50 Austern am Tag die Manneskraft nachhaltig stärken …

Auster *(Ostrea edulis)*

KÖRPERMERKMALE
Größe: 8-20 cm; Gewicht: bis über 300 g, in Einzelfällen sogar bis zu 1,5 kg

NAHRUNG
Plankton, das aus dem Wasser gefiltert wird

ALTER
20-30 Jahre

Der Schweinswal
Flipper vor unseren Küsten

Er ist der kleinste Wal Europas und der häufigste in Nord- und Ostsee: Freundlich und gemütlich schaut der Schweinswal mit seinem rundlichen Gesichtsprofil aus, das ihm den Namen eingetragen hat. Dass seine Schnauze kaum an die torpedoartige „Waffe" erinnert, mit der „Flipper" zur Freude seiner Fernsehzuschauer regelmäßig „böse Haie" massakrierte, liegt an einem ansehnlichen Fettpölsterchen auf seinem Oberkiefer.

▪ Rein farblich müsste der kleine Wal eigentlich als eine „graue Maus der Meere" bezeichnet werden, wäre da nicht sein weißer Bauch. Dieser macht ihn gegen die helle Wasseroberfläche für von unten angreifende Feinde nahezu unsichtbar.

Davon gibt es mehr als genug. Zwar sind Schweinswale fleischfressende Jäger, doch ganz nach dem Motto „fressen und gefressen werden" sind sie oft genug selbst Beute. Ihr ärgster Feind ist neben dem Hai vor allem ein gefährlicher Verwandter: der Orca oder Große Schwertwal. Beobach-

▲ Jäger und Gejagter zugleich: Unser Flipper lebt vor allem von Fischen, fällt aber im offenen Meer auch Haien und Orcas zum Opfer.

▶▶ Zu zweit oder ganz alleine durchstreifen die Tiere das Meer. Größere Gruppen sind selten.

tungen zufolge sollen aber auch Große Tümmler und Gemeine Delfine dem „kleinen Bruder" mitunter durch Kopfstöße immer wieder schwere Verletzungen beibringen.

Vereinigung in der Senkrechten

Unterwegs sind Schweinswale meist alleine oder zu zweit, nur selten in größeren „Schulen" von fünf bis zu 15 Tieren. Zur Paarungszeit und zur Nahrungssuche können sich allerdings vorübergehend auch einmal große Gruppen aus über hundert Tieren bilden. Sehr eng ist über sieben bis acht Monate die Bindung zwischen Jungtier und Mutter: Allein gelassene Junge rufen regelrecht panisch nach der Mama.

Geschlechtsreif werden die Weibchen mit drei bis vier Jahren, die Männchen rund ein Jahr früher. Das erfindungsreiche Liebesspiel der Tiere könnte glatt dem indischen Erotik-Lehrbuch Kamasutra entstammen: Nach einem ausgedehnten Vorspiel findet die kurze eigentliche Paarung knapp unter der Wasseroberfläche in interessanter Stellung statt: senkrecht.

Die Folgen zeigen sich nach zehn bis elf Monaten. Fast immer gebären die Weibchen nur ein Junges, Zwillingsgeburten sind außerordentlich selten. Das geht recht unproblematisch im Wasser vonstatten, denn wie bei allen Walen hat auch das Schweinswal-Weibchen keine Beckenknochen. Direkt nach der Geburt schwimmen die Babys selbstständig zur Wasseroberfläche und tanken ihren ersten Sauerstoff. Nicht vollständig geklärt ist, ob die Weibchen in jedem Jahr Junge austragen. Obwohl das biologisch durchaus möglich ist, gelten zweijährige Intervalle als wahrscheinlicher.

Schweinswal
(Phocoena phocoena)

KÖRPERMERKMALE
Gesamtlänge: 1,4-2,0 m; Gewicht 45-90 kg (Männchen kleiner und leichter als Weibchen)

NAHRUNG
Fische von rund 15-30 cm Länge: v. a. kleinere Hechte, Dorsche, Sardinen, Heringe; Tintenfische, Krebstiere und Weichtiere

ALTER
10-20 Jahre

Der Einsiedlerkrebs
Hausbesetzer auf dem Meeresgrund

Ein Schneckenhaus, aus dem ein paar Krabbelbeine herausschauen – mehr ist nicht zu sehen. Dieses Gebilde als Krebs zu akzeptieren, fällt schwer. Vermutlich halten selbst die meisten Krabbenverwandten den Einsiedlerkrebs und vor allem seinen Lebensstil für gewöhnungsbedürftig.

▪ Wer in der Schneckenhaus-Beinchen-Kombi keinen Krebs zu erkennen vermag, hat insofern recht, als zum eigentlichen Krustentier nur die „beweglichen Teile" der Einheit gehören. Das Haus selbst ist das, wonach es aussieht: ein längst verlassenes Schneckendomizil. Dass das Krebslein zum Hausbesetzer wird, ist reiner Selbstschutz. Dem Hinterleib des Einsiedlerkrebses fehlt nämlich das, was für andere Krebse selbstverständlich ist: der Chitinpanzer. So muss eben ein Schneckenhaus den weichen Leib vor feindlichen Übergriffen schützen.

Die Evolution hat den Krebs an die besonderen Platzverhältnisse seiner Behausung angepasst. Weil er rechtsgewundene Schneckenhäuser besie-

▲ Der Einsiedlerkrebs bildet keinen eigenen Panzer – ein Schneckenhaus muss daher seinen weichen Leib vor Feinden schützen.

▶▶ Perfekt angepasst: Der asymmetrische Körper passt in „jedes" Schneckenhaus.

delt, ist auch sein Hinterleib so gedreht. Zwei rechte Beinchen haben sich dort deshalb auch im Lauf von Jahrmillionen verabschiedet, während die verbliebenen linken Beinchen dafür sorgen, dass stets genug Atemwasser durch das Häuschen strömt. Mit besonderen Klammerhaken am Körperende krallt sich der Krebs in seinem Häuslein fest.

Der Einsiedlerkrebs trägt am Kopf ein Paar ungleich großer Scheren, mit denen er sein Häuslein verschließen kann. Mit zwei kräftigen Beinpaaren dahinter bewegt er sich fort. Dann hat er noch mal zwei, allerdings deutlich kleinere Beinpaare: Damit hält er – neben dem Klammerhaken – seine Wohnung fest, damit die beim Krabbeln nicht verloren geht.

Da das Wohnhaus nicht mitwächst, muss der Hausbesetzer immer wieder umziehen. Bei manchen Einsiedlerkrebsarten wird von regelrechten Häuserkämpfen berichtet – und davon, dass sie sogar gezielt Schnecken töten, wenn deren Behausung ihre Zustimmung findet. „Unser" Gemeiner Einsiedlerkrebs ist für solch ein rüdes Verhalten aber nicht bekannt – im Gegenteil: Er lebt fast wie in einer Unterwasser-WG häufig mit verschiedenen Unter- oder besser gesagt Obermietern zusammen: Anemonen, Seepocken (Foto oben rechts) und Stachelpolypen lassen sich immer wieder auf seinem Häuschen nieder.

Einsiedlerkrebs
(Pagurus bernhardus)

KÖRPERMERKMALE
Größe: bis zu 10 cm

NAHRUNG
Algen, Aas wie z. B. tote Fische, Muscheln, Borstenwürmer, Mikroorganismen

ALTER
Vermutlich 2-4 Jahre

Fische im Wattenmeer
Kinderstube der Flossenträger

Bei Flut ist das Watt ruhiger als andere Meeresregionen und wirkt fast „langweilig". Auch bei Ebbe erstreckt sich das Grau des Wattbodens an den Küsten schier ins Unendliche. Der Eindruck von Öde trügt: Mehr „Biomasse"– also Leben im weitesten Sinne – als im Wattenmeer gibt es sonst nur noch in tropischen Regenwäldern. Teil dieses Lebens und zugleich Nutznießer sind vor allem auch die Fische.

■ Manche Fischarten – beispielsweise der Seehase, der Schellfisch und der Köhler – tauchen nur ab und zu im Wattenmeer auf. Neben solchen „Zufallsgästen" gibt es dort auch die „Saisongäste": Fische, die diesen einzigartigen Lebensraum zwar nutzen, das aber nur vorübergehend und meist nur zu bestimmten Zeiten. Dorsch, Makrele und Katzenhai zum Beispiel bewohnen wesentlich größere Meeresgebiete, stoßen aber regelmäßig auch ins Wattenmeer vor. Meeräschen und Streifenbarben kommen lediglich im Sommer zu Besuch, denn dann erst ist ihnen das Wasser auch warm genug.

▲ In stetem Rhythmus verwandelt die Ebbe das Wattenmeer kurzzeitig in Land. Für unzählige Fischarten ist dieser Teil der Nordsee der Kindergarten.

▲ Die Tarnung ist perfekt: Ihren sehr flachen Körper kann die Scholle sogar noch farblich dem Untergrund anpassen.

Einige Fische verbringen sogar ihren gesamten Lebenszyklus – vom Larvenstadium bis zum ausgewachsenen Tier – im Wattenmeer. Solche ortstreue „Standfische" sind zum Beispiel Aalmutter, Seeskorpion, Butterfisch und Sandgrundel.

Aus rauer See ins „Paradies"

Für zahlreiche Fischarten ist das Watt gleichsam der „Kindergarten". Diese Fische laichen im Frühjahr und Winter in der offenen See. Die jungen Larven nutzen dann den zur Küste gerichteten Flutstrom aus – bei Ebbe halten sie sich am Boden auf, bei Flut schwimmen sie – und lassen sich Richtung Küste ins Wattenmeer tragen. Dort finden die Jungfische ein üppiges Nahrungsangebot und optimale Lebensbedingungen.

Die Flunder, auch Butt genannt, kommt an den Nordsee- und Ostsee-, aber auch an anderen Meeresküsten vor. Typisch für das Wattenmeer ist die Variante des sogenannten „Wattbutts". Wie bei allen Plattfischen ist die Entwicklung der Flunder bemerkenswert: Die Fischlarve lebt zunächst pelagisch, das heißt, sie schwimmt im Freiwasser, und sieht, nach menschlichen Maßstäben, auch „ganz normal" aus. Dann jedoch beginnt – wie in einem schlechten Gruselfilm – ihr linkes Auge zu wandern. Es schiebt sich über den „Scheitel" auf die rechte Körperseite. Die Larven bekommen nun

▼ Das linke Auge der Flunder wandert im Lauf der Entwicklung auf die rechte Körperseite. Mit der linken liegt sie dann am Meeresgrund.

▲ Oben: Die Seezunge wandert im Winter zwar kurzzeitig in die offene See ab, bleibt dem Wattenmeer aber in den ersten zwei bis drei Lebensjahren treu. Darunter: Flussaale sind Wanderer der Flüsse und Meere.

zunehmend „Schlagseite" und sinken irgendwann ganz auf den Boden. Im Parterre lebt der Fisch dann bis zu seinem Tod. Die Flunder zählt zu den „rechtsäugigen" Plattfischen. Bei den „linksäugigen", wie zum Beispiel dem Steinbutt, wandert das rechte Auge auf die linke Körperseite.

Auch die Scholle – als „Kutterscholle" geradezu ein Nationalgericht an der norddeutschen Küste – ist „rechtsäugig". Mit „nur" 50 000 bis 500 000 Eiern geben sich ihre laichenden Weibchen bescheidener als die der Flunder, die es auf bis zu zwei Millionen Eier bringen. Beide tun dies in Tiefen von 20 bis gut 40 Metern. Und beide weichen im Winter den niedrigen Wassertemperaturen des Wattenmeers aus, indem sie in die offene See abwandern. Nur wenige Tiere kehren nach dem ersten Winter wieder zurück: Mit zunehmender Größe entfernen sich die meisten Schollen immer weiter von der Küste.

Auch die Seezunge – ein weiterer Plattfisch, der das Wattenmeer als „Krabbelstube" nutzt – wandert im kalten Winter in die offene See ab. Abgesehen von solchen winterlichen Kurzausflügen bleibt sie dem Watt aber anders als die Scholle bis zum Alter von zwei oder drei Jahren treu.

5000 Kilometer – mit leerem Magen

Ganz sicher kein Plattfisch, weil alles andere als von flacher Gestalt, ist der Europäische Flussaal. Rund 4000 Kilometer wandern diese eher schlangenähnlichen Fische in rund drei Jahren von der Sargassosee – wo neben sämtlichen Europäischen auch alle Amerikanischen Aale zur Welt kommen – durch den Nordwestatlantik ostwärts Richtung Europa. Unzählige Aale verbringen dann einen Teil ihrer Kindheit im Wattenmeer.

In der Nordsee und anderen europäischen Küstengewässern angekommen, bleiben sie einige Zeit im Brackwasser, im Bereich von Flussmündungen und anderen Zonen mit niedrigem Salzgehalt. Dort werden sie zu sogenannten Glasaalen, bevor dann viele von ihnen die Flüsse hinaufsteigen. Andere bleiben im Brackwasser. In den folgenden Jahren reifen die Fische über das Zwischenstadium des „Gelbaals" zum ausgewachsenen Fisch, dem „Silberaal" oder „Blankaal".

◀ Heringe sind typische Schwarmfische. Wo die flachen Küstengewässer in die salzhaltigeren Tiefenwasser übergehen, laichen sie.

Nun ist es Zeit, sich fortzupflanzen: Die in die Flüsse aufgestiegenen Tiere wandern dafür denselben Weg wieder zurück – sie machen sich dann auf die lange Rückreise von Europas Küsten zur Sargassosee, um dort zu laichen. Strecken von mehr als 5000 Kilometern gegen die Fließrichtung des Golfstroms legen die Fische auf ihrer zweiten langen Reise zurück – und das, ohne Nahrung aufzunehmen!

Hering und Hornhecht sind weitere Fischarten, für deren „frühkindliche Entwicklung" das Wattenmeer eine wichtige Rolle spielt. Sie alle laichen dort oder wenigstens in der Nähe: der Hering in den Übergangszonen zwischen flacheren Küstenwassern und dem wärmeren salzhaltigen Tiefenwasser der offenen See. Der Hornhecht macht es seinen Kindern besonders leicht. Seine Eier heftet er in sauerstoffreichem Wasser an Algen oder Seegras. Das tut er dann oft gleich im Wattenmeer, denn im Sommer schlüpfen seine Larven gerne in dessen warmem Wasser.

▼ Auch für Hornhechte ist das Wattenmeer die Wiege: Der Nachwuchs schlüpft häufig auch schon dort aus dem Ei.

Lebensraum
Dorf und Stadt

Bauernhöfe samt Misthaufen, auf dem ein stolzer Hahn den Tag begrüßt, oder kleine Dörfer mit idyllischen Fachwerkhäusern mögen wir noch als harmonischen Teil der Landschaft empfinden. Städte oder gar Großstädte aber gelten fast schon als Inbegriff betonierter Naturfeindlichkeit. Zu beschönigen gibt es hier erst einmal nichts: Der Mensch breitet sich zu Lasten vieler Tiere aus. Nur selten erwähnt, aber ebenso unstrittig ist: Viele Tiere finden in unseren „Festungen" neue Lebensräume und nutzen sie geschickt für sich aus: Der Haussperling kann sich ein Leben ohne den Menschen gar nicht mehr „vorstellen" und der Waschbär freut sich über die Nahrungsquellen unserer Wohlstandsgesellschaft. Turmfalken brüten liebend gerne auf Kirchtürmen und der Steinmarder tobt sich mit Vorliebe auf Dachböden aus.

◀ Der imposante Wanderfalke brütet sogar in unseren Städten. Er steht für eine Erfolgsgeschichte, war er vor 30 Jahren doch beinahe ausgerottet.

Der Turmfalke
Rütteln ist sein Markenzeichen

Turmfalke
(Falco tinnunculus)

KÖRPERMERKMALE
Gesamtlänge 33-39 cm; Flügelspannweite 66-79 cm; Gewicht 160-290 g (Weibchen etwas größer und schwerer als Männchen)

NAHRUNG
Überwiegend Mäuse, auch Singvögel, Amphibien, Reptilien, Insekten, Regenwürmer

ALTER
15-18 Jahre

Wie festgenagelt steht sein Körper in der Luft, wenn er nach Beute späht, während seine Flügel in einem rasanten Stakkato schlagen. Fast überall in den Feldern kann man diesen Rüttelflug des Turmfalken beobachten, denn mit dem Mäusebussard ist er unser häufigster Greifvogel. Er brütet gerne in Städten.

■ Seinen Namen verdankt er vermutlich der Vorliebe für „turmhoch" gelegene Brutplätze. In freier Natur sind das bevorzugt Felswände. Wo sie fehlen, nutzt der Turmfalke dann die Baumnester von Krähen, Elstern und Mäusebussarden, denn selbst bauen ist nicht sein Ding.

Die Nähe des Menschen schreckt ihn aber auch nicht und besonders dort macht er seinem Namen alle Ehre: Kirchtürme stehen auf seiner Hitliste „menschengemachter" Brutplätze weit oben, gefolgt von Fabrikschornsteinen, Gebäuderuinen, Starkstrommasten und sogar den riesigen Baggern aus dem Braunkohleabbau. Der wendige Falke lebt also häufig mitten unter uns.

Das Weibchen legt drei bis sechs Eier und bebrütet sie alleine. Das Männchen, auch Terzel genannt, schafft ihr und später auch den Jungen die Nahrung heran. Wer aufmerksam hinhört, dem verrät dann das „Lahnen" die Nähe des Brutplatzes: Mit diesem Ruf, einem lauten und vibrierenden „Wrii...", betteln die Vögel um Futter – das Weibchen beim Terzel und die Jungfalken wiederum bei den Eltern.

Mäusejäger mit tödlichem Biss

Bei uns lebt der schnelle Falke ganzjährig. Er erbeutet in erster Linie Mäuse, aber auch Singvögel – vor allem in Städten – und andere Kleintiere. Während er Würmern und Insekten auch einmal zu Fuß nachstellt, jagt er doch überwiegend vom Ansitz und aus dem Rüttelflug heraus. Dieser ihm eigenen Flugtechnik verdankt er auch den Zweitnamen „Rüttelfalke".

Alle Falken sind sogenannte Bisstöter. So auch der Turmfalke. Er hält seine Beute mit den Fängen nur fest und tötet sie dann durch einen gezielten Schnabelbiss in den Schädel oder Nacken. Alle anderen Greifvögel sind „Grifftöter": Sie bringen ihre Opfer mit ihren dolchartigen Fängen „um die Ecke".

Der Wanderfalke
In Rekordgeschwindigkeit auf Beutejagd

Wie ein fallender Stein stürzt er sich mit angelegten Flügeln auf seine Beute – und erreicht dabei schon einmal gut 180 Stundenkilometer. Manche Beobachter trauen dem pfeilschnellen Wanderfalken gar bis zu 300 Stundenkilometer zu ... Ziele dieses „Geschosses" sind fast ausschließlich Vögel, die der Falke im freien Luftraum überrumpelt. Im Vorbeischießen verpasst er seinen Opfern – vermutlich mit den geöffneten Fängen – einfach einen Schlag und kehrt im schnellen Bogen zur Beute zurück. War dieser Schlag selbst nicht schon tödlich, erledigt der Jäger den Rest mit dem falkentypischen Genickbiss.

In aller Regel lauert der Wanderfalke von einer Ansitzwarte auf Beute. Nur sehr selten fliegt er umher, um sie ausfindig zu machen oder sucht gar am Boden. Beim Angriff wählt er dann nicht immer den „Steilstoß" aus großer Höhe, sondern auch den sogenannten Flachstoß: Dabei nähert er sich seinen gefiederten Opfern ähnlich überraschend von hinten im „toten Winkel" und packt sie im Flug von unten.

Besonders ausgeprägt sind bei unserem größten Falken die dunklen Bartstreifen an den Kopfseiten, der „Falkenbart". Seinen Oberschnabel ziert – wie bei allen Falken – der „Falkenzahn": ein Zacken an den Kanten, der vermutlich den tödlichen Beutebiss unterstützt.

▲ Wenn ein Altvogel erscheint, fordern die immer hungrigen Jungfalken durch schrille Bettelrufe Futter ein.

◄◄ Im typischen „Rüttelflug" steht das Weibchen an einer Stelle in der Luft.

Wanderfalke
(Falco peregrinus)

KÖRPERMERKMALE
Männchen (Terzel): Gesamtlänge 38-45 cm; Flügelspannweite 89-100 cm; Gewicht 580-720 g
Weibchen: Gesamtlänge 46-51 cm; Flügelspannweite 104-113 cm; Gewicht 860-1100 g

NAHRUNG
Kleine und mittelgroße Vögel, v. a. Haus- und Ringeltauben, Krähen und kleinere Singvögel, in Norddeutschland oft Strandläufer und Möwen

ALTER
10-18 Jahre

Der Siebenschläfer
Streitbarer Klettermax

Auf den ersten flüchtigen Blick unterscheidet er sich kaum von einer „normalen Maus". Bei genauerem Hinsehen fallen dann die erstaunlich großen Augen und der buschige Schwanz auf, der an ein Eichhörnchen erinnert. Mit den Hörnchen ist der Siebenschläfer tatsächlich auch wesentlich näher verwandt als mit irgendeiner Maus.

■ Der Siebenschläfer gehört zu den sogenannten Bilchen oder Schläfern, von denen es noch drei weitere heimische Arten gibt: den Baum- und den Gartenschläfer sowie die Haselmaus, die trotz des Namens keine „echte" Maus ist. Im Gegensatz zu den Mäusen sind die Bilche recht selten und daher gesetzlich geschützt.

Nomen est omen – aufs Schlafen versteht sich der Siebenschläfer bestens. In einem sicheren Versteck tut er den lieben langen Tag nichts anderes. Erst in der Dämmerung und nachts werden die Schlafmäuse, wie die Bilche auch noch genannt werden, aktiv – deshalb auch ihre großen

▲ Der Nager mit dem buschigen Schwanz ist kein Kostverächter: Der Apfel hat es ihm angetan.

▶▶ „Den Seinen gibt's der Herr im Schlaf." Den Siebenschläfer scheint unser Schöpfer besonders zu mögen.

„dunkelheitstauglichen" Augen. Als überaus gewandter Klettermax turnt der Siebenschläfer dann am liebsten auf Bäumen herum.

Diesen Lebenswandel führt er zumindest vom ausgehenden Frühjahr bis zum Spätsommer. Was aber tut er in der übrigen kälteren Zeit? Schlafen natürlich! Und zwar tief und fest und ohne Unterbrechung. Nur noch zwei- bis dreimal pro Minute atmet der Siebenschläfer während seines Winterschlafs. Dass der sieben Monate dauert – tatsächlich sind es oft sogar acht –, soll ihm den ersten Teil seines Namens beschert haben.

Nach dem Ruhen ist gut streiten

Geht es nach dem Erwachen aus dem Winterschlaf an das Erobern eines Revieres, werden die „Schlafmützen" untereinander sehr ungemütlich. Ihre Reviere grenzen sie mit Urin und Körpersekreten ab und verteidigen sie erbittert gegenüber Artgenossen beiderlei Geschlechts. Nur zur Paarung im Juni vertragen sich Männlein und Weiblein. Nach einer Tragzeit von rund einem Monat kommen drei bis sechs Junge zur Welt – häufig in einer hoch gelegenen Baumhöhle oder einem Astloch. Mit etwa acht Wochen ist der Nachwuchs selbstständig.

In Laub- und Mischwäldern lebt der Siebenschläfer gerne, aber auch in größeren Gärten und Obstplantagen – und das vom Tiefland bis in die Vorgebirge. Seine Tagesverstecke bezieht er meist in Baumhöhlen. In ländlichen Räumen aber sucht er sowohl tagsüber als auch während des Winters mitunter Schutz in Stallungen und Scheunen oder auf Dachböden. Und hält dann als häuslicher Poltergeist gerne auch deren zweibeinige Bewohner auf Trab ...

Siebenschläfer (Glis glis)

KÖRPERMERKMALE
Körperlänge 27-36 cm (davon 12-16 cm Schwanz); Gewicht 190-220 g (Höchstgewicht unmittelbar vor dem Winterschlaf)

NAHRUNG
Allesfresser, überwiegend pflanzliche Nahrung: Bucheckern, Eicheln, Haselnüsse, Kastanien und andere öl- und fetthaltige Samen, im Sommer v. a. Knospen, Rinde, Früchte und Pilze; selten auch Insekten, Vogeleier oder Jungvögel

ALTER
5-9 Jahre

Der Weißstorch
Klappern gehört zu seinem Handwerk

▲ Mehrmals täglich begrüßen sich Storch und Störchin mit lautem Schnabelklappern.

Viele Menschen sehen in ihm den Frühlingsboten schlechthin, wenn er aus dem „Winterurlaub" im tropischen Afrika zu uns zurückkehrt. Als Glücksbringer und Sinnbild für Fruchtbarkeit gilt er ebenfalls. Vor allem aber ist der Weißstorch eines: ein wunderschöner und interessanter Vogel.

■ Wenn frühere Elterngenerationen den Fragen ihrer Kinder nach dem Wie und Woher der kleinen Babys auswichen, musste sehr oft der „Klapperstorch" herhalten. Das passte zu seinem Image als Fruchtbarkeitssymbol: Kehrt er doch zu uns zurück, wenn in der Natur alles wieder wächst und grünt. Sein Fabelname „Adebar" stammt von „odaboro" ab, dem althochdeutschen Wort für Glücks- oder Segensbringer. Kein schlechter Name für einen „Babylieferanten".

Störche leben „anständig" – mit jährlich nur einem Partner. Und da Männlein wie Weiblein vom einmal erwählten Brutplatz nicht lassen mögen, findet sich das gleiche Paar oft mehrere Jahre lang immer wieder zusam-

men, und das mit ungebrochener Begeisterung: Während der gesamten Brutzeit begrüßen sich die Vögel mehrmals täglich mit ausgiebigem typischem Schnabelklappern.

Wohnort mit Aussicht

Anders als die waldbewohnenden Schwarzstörche (S. 36) leben und brüten die weniger scheuen Weißstörche in offenen Landschaften. In weiten Teilen Europas besiedeln sie Sümpfe, Moore, wasserreiche Heiden, aber auch landwirtschaftlich geprägte und andere Kulturlandschaften. Ihre mächtigen Nester bauen sie auf Felsvorsprüngen, Bäumen, Strommasten und Gebäudedächern. Solch erhöhte Warten bieten Schutz vor Feinden, gewährleisten aber auch optimale Start- und Landebedingungen. Und sie verschaffen einen guten Überblick über die „Restaurants" der Umgebung, die Nahrungsgründe.

Nest und Nahrungsrevier können durchaus auch mehrere Kilometer voneinander entfernt liegen. Auf Beutezug geht Adebar, der bereits zweimal – 1984 und 1994 – zum „Vogel des Jahres" gekürt wurde, in Wiesen, Feuchtgebieten und seichten Gewässern. Gemächlich einherschreitend spürt er dort Regenwürmer, Insekten, Frösche, Mäuse und Fische auf, um dann blitzschnell mit seinem kräftigen knallroten Schnabel zuzustoßen. Auch Aas verschmäht er nicht.

Sind die drei bis fünf Storchenjungen im Mai nach rund einem Monat Brutzeit geschlüpft und im Juli flugbereit, ist es rund einen Monat später an der Zeit, in Richtung Afrika aufzubrechen. Die in Südwestdeutschland brütenden „Westzieher" fliegen ins südliche Portugal, nach Spanien oder weiter über Gibraltar nach Westafrika. Über die Ägäis und die Sinai-Halbinsel nach Ostafrika oder gar bis Südafrika führt die Route der im übrigen Deutschland brütenden Störche. Manche dieser „Ostzieher" legen auf dem Zug rund 10 000 Kilometer zurück!

Weißstorch *(Ciconia ciconia)*

KÖRPERMERKMALE
Gesamtlänge 95-110 cm, Flügelspannweite 185-215 cm, Gewicht 3-4,5 kg

NAHRUNG
Mäuse und andere Kleinnager, Amphibien, kleine Reptilien, Fische, Insekten, gelegentlich auch Jungvögel und Eier

ALTER
10-15 Jahre

◀ „Materialbeschaffung". So bringt man das Nest wieder auf Vordermann.

▼ Hat Adebar Beute im Visier, stößt sein kräftiger Schnabel urplötzlich zu.

Der Steinmarder
Selbstbewusster Poltergeist

Steinmarder
(Martes foina)

KÖRPERMERKMALE
Gesamtlänge 65-75 cm (davon Schwanz 22-30 cm); Schulterhöhe: bis zu 15 cm; Gewicht 1,2-2,3 kg

NAHRUNG
Allesfresser: Mäuse und Säuger bis Kaninchengröße, Vögel und Eier, Frösche, Insekten; v. a. im Sommer auch Beeren und Früchte

ALTER
8-10 Jahre

Längst teilt er sich Haus, Hof und zum Leidwesen vieler sogar die Autos mit uns. Der geschmeidige Steinmarder ist ein Paradebeispiel dafür, dass viele Wildtiere „neue Lebensräume", die der Mensch eigentlich für sich selbst geschaffen hat, geschickt zu nutzen wissen.

■ Kein Zweifel, er lebt mitten unter uns: So manche Katze, die in der Dämmerung über die Straße huscht, entpuppt sich auf den zweiten Blick als Steinmarder. Selbst unsere Autos hat er zu seiner „Spielwiese" erklärt. Und in ländlichen Regionen wird die Zahl der Gebäude, die noch nie einen „Dachmarder" beherbergt haben, immer kleiner.

Selten bleibt so ein Obermieter unbemerkt. Wenn sich nämlich im März oder April Nachwuchs bei Marders einstellt und bald darauf „Randale" macht, ist es meist um unsere Nachtruhe geschehen. Ein weiteres akustisches Highlight bietet die Paarungszeit der Tiere im Juli und August. Mit wildem Gepolter und durchdringenden Schreien stellen die liebestollen

Klettergenies die Geduld etwaiger Zuhörer erneut auf eine harte Probe. Von Herbst bis Frühjahr wird es allerdings besser, denn dann leben Steinmarder allein.

Sein „Zwillingsbruder": der Baummarder

„Weißkehlchen" werden sie scherzhaft auch genannt. Form und Farbe des Kehlflecks sind nämlich eines der wenigen Unterscheidungsmerkmale zum täuschend ähnlichen „Gelbkehlchen", dem Baummarder. Der aber ist deutlich seltener und scheuer und lebt vor allem auf Bäumen im Wald.

Der Steinmarder dagegen erklimmt Bäume nur selten. In freier Natur versteckt sich das vorwiegend nachtaktive Tier lieber in Felsspalten, unter Holzstößen und Reisighaufen. Geht er im Dunkeln dann auf die Jagd, ist so gut wie nichts vor ihm sicher. Er erbeutet Kleintiere aller Art, frisst aber auch pflanzliche Kost. Größeren Verdruss als durch nächtliche Ruhestörung bereitet er, wenn er in schlecht gesicherte Hühnerställe oder Taubenschläge eindringt. Oft bleibt dann kein Vogel am Leben. Das liegt jedoch nicht etwa an einem „Blutrausch", in den sich der kleine Räuber wenig wohlmeinenden Theorien zufolge steigert, sondern schlichtweg an seinem ausgeprägten Jagdinstinkt.

Der Iltis
Maskierter Jäger mit Biss

Der Europäische Iltis ernährt sich – anders als die Marder – fast ausschließlich von Fleisch. Er lebt und jagt gerne an Gewässern, offenen Waldrändern und im Feld, tief im Wald aber eher selten, obwohl er auch „Waldiltis" genannt wird. Den weiteren, wenig schmeichelhaften Namen „Stinkmarder" verdankt der Einzelgänger einem übel riechenden Sekret aus zwei Analdrüsen, mit dem er sein Revier markiert und sich verteidigt.

Mit den dunklen Feldern um die Augen wirkt der Iltis wie eine tierische Ausgabe von „Zorro", und auch sein Körper ist anders gefärbt als im Tierreich üblich: Rücken und Seiten sind deutlich heller als der fast schwarze Bauch. Der geschickte und aggressive Jäger wird sogar mit Beutetieren fertig, die größer sind als er selbst: Hühner und Kaninchen etwa.

Unterwegs ist er vor allem nachts. Tagsüber ruht er in Reisig-, Stein- oder Strohhaufen, in Gebäudenischen oder auch Kaninchenbauen. Im Winter zieht er lieber in Ställe oder Scheunen. In einem schützenden Bau bringt das Weibchen auch die meist drei bis sieben Jungen zur Welt. Recht ruppig geht es bei der „Entstehung" dieses Nachwuchses zu: Während der Paarung stellt das Männchen die deutlich kleinere Partnerin mit einem Nackenbiss „ruhig".

▲ Der Erkundungsdrang dieser Jungmarder macht auch vor Regenrohren nicht halt.

◀◀ „Weißkehlchen" lebt mitten unter uns. Was nicht immer zur Freude Anlass gibt ...

Europäischer Iltis
(Mustela putatoris)

KÖRPERMERKMALE
Männchen: Gesamtlänge 45-69 cm;
Schulterhöhe: bis zu 5 cm;
Gewicht: 0,8-1,9 kg
Weibchen: Gesamtlänge 45-55 cm;
Schulterhöhe: bis zu 5 cm;
Gewicht: 0,7-1,0 kg

NAHRUNG
Mäuse, Ratten, sogar Kaninchen und junge Hasen, Vögel bis zur Größe eines Haushuhnes, Frösche, Kröten, Fische; sehr selten pflanzliche Kost

ALTER
Bis zu 6 Jahre

Der Haussperling
Hansdampf in allen Gassen

Wenn ein Geheimnis keins mehr ist, hat er es dem Volksmund zufolge „von den Dächern gepfiffen": Als einem der häufigsten und weitestverbreiteten Singvögeln entgeht dem Spatz wenig. Neben seiner Allgegenwart haben ihm wohl auch seine ausgeprägte Geselligkeit und sein Hang zur „Geschwätzigkeit" die Rolle der Klatschbase verschafft.

■ Es gibt keine Siedlung und keine Stadt in unserem Land, in der der quirlige kleine Vogel nicht an allen Ecken und Enden „tschilpt". Den Namen Haussperling trägt er auch nicht von ungefähr, denn er hat sich den Menschen seit Beginn ihrer Siedlungsgeschichte angeschlossen. Mittlerweile kommt der treue Genosse sogar auf allen Kontinenten vor und fehlt ausschließlich in klimatisch extremen Lebensräumen. Wo der Spatz ursprünglich einmal lebte, kann man heute nur noch vermuten. Trockenwarme lichte Baumlandschaften, sogenannte Baumsavannen, sollen seine Lebensräume gewesen sein, bevor er irgendwann die Nähe zum Menschen schätzen lernte.

▲ Haussperlinge sind aus unseren Dörfern und Städten nicht mehr wegzudenken.

▶▶ Brauner Scheitel, schwarze Kehle – Herr Spatz präsentiert sich!

Nahezu seine ganze Lebensweise ist davon geprägt. Er brütet gerne in künstlichen Nistkästen, in Gebäudenischen und unter Hausdächern. Selbst in lauten Industriehallen oder gar Supermärkten baut er seine Nester. Naturnähere Nistplätze sind Felsnischen, verlassene Spechthöhlen, Schwalbennester – oder auch Storchennester, die er als Untermieter bezieht. Ein Spatzenpaar brütet allein oder auch gerne im Kreis der Artgenossen. In solchen lockeren Brutverbänden oder -kolonien achten die Vögel allerdings auch darauf, dass sie den Nachbarn nicht zu nahe auf die Pelle rücken.

Ein „schlampiges" Nest an sicherem Ort

Welchen Platz auch immer Spatz und Spätzin zum Brüten wählen – immer bauen sie ein Kugelnest mit seitlichem Eingang. Da das Nistmaterial außen häufig locker herunterhängt, wirkt das Ganze etwas „schlampig". Verbaut wird fast alles, was in der näheren Umgebung aufzutreiben ist: Stroh, Gras, Wolle, Papier und sogar Stofflumpen.

Herr Spatz sorgt sich schon recht früh im Jahr um eine eigene Familie, indem er im Februar oder März einen Brutplatz besetzt. Jetzt geht es darum, eines der Weibchen zu ergattern. Die müssen sich aber erst von den „Sicherheitsstandards" des Nestes überzeugen und den Bewerber begutachten. Je imposanter sich dessen schwarzer Brustlatz beim Singen sträubt, desto größere Chancen darf er sich ausrechnen. Dabei machen die Männchen mit genau diesem schwarzen Latz, dem grauen Scheitel

Haussperling
(Passer domesticus)

KÖRPERMERKMALE
Gesamtlänge 14-16 cm; Flügelspannweite 22-23 cm; Gewicht etwa 30 g

NAHRUNG
Vor allem Samen, Getreidekörner; daneben Gräser, Kräuter, Blüten, Beeren, Knospen, auch Insekten und Spinnen, in Städten Abfälle aller Art

ALTER
2-3 Jahre

▲ Körperpflege muss sein:
ein Weibchen beim Staubbad

▶▶ Bald beginnt für diese Jungspatzen der Ernst des Lebens.

▼ Kurzer Halt an einer Wasserstelle

und den braunen Augenstreifen ohnehin schon mehr her als die einheitlich und unscheinbar graubeigen Spatzendamen. Schließlich muss der Spatzenmann seine Auserwählte auch noch vom Nest selbst überzeugen. Dazu schlüpft er mit Nistmaterial im Schnabel in die Brutnische, während das Weibchen folgt und prüft.

Raue Sitten bei der „Gruppenbalz"

Nicht unüblich ist bei Haussperlingen auch die sogenannte Gruppenbalz. Bis zu acht Männchen verfolgen dabei lärmend ein einziges Weibchen und versuchen, mit ihm zu kopulieren. Um diesem recht rüde anmutenden Umgang mit der Spätzin die Krone aufzusetzen, beteiligt sich ihr eigentlicher Partner auch daran!

Sind die Hürden der Paarung genommen, legt das Weibchen meist drei bis sechs Eier ins Nest und beide Partner brüten je nach herrschender Außentemperatur zehn bis 15 Tage, manchmal sogar über 20 Tage. Die Jungvögel brauchen elf bis 23 Tage, bis sie flügge sind. Gut zwei Wochen sind die Regel.

Dann muss sich auch der Nachwuchs den zahlreichen Gefahren stellen, die so einem Spätzlein drohen. Während Vögel vor allem in ländlichen Räumen oft auf dem Speisetisch natürlicher Feinde wie Mardern, Sperbern oder Turmfalken landen, fallen in Städten einige auch Hauskatzen und sogar dem Straßenverkehr zum Opfer. Für die Eltern aber beginnt dann das Spiel meist wieder von vorne: Bis zu vier Spatzenbruten kann es pro Jahr geben.

Der Igel
Stachelritter mit turbulentem Liebesspiel

Wer an Igel denkt, denkt an Stacheln. Zwischen 5000 und 8000 Stück hat ein erwachsenes Tier auf Kopf, Nacken und Rücken. Dank dieser wirksamen Rüstung können dem leidenschaftlichen Insektenfresser nur wenige Gegner etwas anhaben.

■ Was sich im Lauf von Jahrtausenden zur Stachelrüstung des Igels entwickelt hat, sind tatsächlich einmal Haare gewesen. Damit er sich damit ganz gezielt verteidigen kann, hat die Natur gleich noch für eine Rückenmuskulatur gesorgt, mit der der Igel diese Stacheln auch aufzustellen vermag. Spezielle Ringmuskeln erlauben ihm außerdem, sich blitzschnell zu einer Kugel zusammenzurollen und dadurch seine unbewehrte Unterseite zu schützen. Das ist auch gut so, denn für eine schnelle Flucht sind seine kurzen Beinchen wirklich nicht geschaffen. Doch nicht immer nützt die Kugel-Spezialtechnik etwas: Steinadler und Uhu können ihre kräftigen Krallen auch durch die Stacheln hindurch in den Igelkörper bohren, und der Dachs ist kräftig genug, mit seinen Vorderpfoten eine „Igelkugel" einfach aufzurollen.

▲ Unverwechselbar durch sein beeindruckendes Stachelkleid

Unser Igel – biologisch korrekt Braunbrust- oder Westeuropäischer Igel genannt – liebt abwechslungsreiche Feldlandschaften mit Grasflächen, Hecken und Gebüsch, aber auch die Randbereiche von Laubwäldern. Sehr oft lebt der Einzelgänger auch in Streuobstwiesen, in Gärten, Parks und den Grünzonen von Siedlungsrändern. Nachts ist er emsig, den Tag verschläft er in einem Versteck.

Stundenlang dreht sich das Igelkarussell

„Wie paaren sich Igel? – Gaaanz vorsichtig!" So lautet ein beliebter Witz. Und er ist in der Tat nur ein Scherz, denn auch diese Stacheltiere tun es in der für Säugetiere üblichen Weise: Das Männchen reitet von hinten auf. Bis es so weit ist, geht es aber turbulent zu: Der Igelmann umkreist die Angebetete ausdauernd, sie aber wehrt seine Annäherungsversuche fauchend, mit aufgestellten Kopfstacheln und Kopfstößen, lange Zeit ab: „Igelkarussell" wird dieses Szenario auch genannt und das kann sich stundenlang drehen. Gibt das Weibchen dann irgendwann nach, legt sie ihre Rückenstacheln hilfsbereit flach an den Körper ... Der undankbare Igelmann zieht aber bald seiner Wege, nachdem er seinen „Spaß" hatte.

Um die bis zu zehn Jungen muss die Igelin sich also alleine kümmern. In einem gepolsterten Nest bringt sie den Nachwuchs an einer geschützten Stelle zur Welt und mit etwa zwei Monaten ist der dann selbstständig. Verliert eine Igelmutter den ersten Wurf frühzeitig, wirft sie oft noch ein zweites Mal. Diese Igelchen aber überleben meist nicht lange. Im Herbst nämlich müssen sie wie alle Igel den fünf- bis sechsmonatigen Winterschlaf antreten. Infolge der späten Geburt können sie vorher aber häufig kein ausreichendes Fettpölsterchen mehr anlegen und wachen dann im Frühjahr nicht wieder auf.

Braunbrustigel
(Erinaceus europaeus)

KÖRPERMERKMALE
Gesamtlänge 22-30 cm;
Gewicht 0,5-1 kg

NAHRUNG
Laufkäfer und andere Insekten, Spinnen, Regen- und Ohrwürmer, Larven von Nachtschmetterlingen, Schnecken, Tausendfüßer

ALTER
Bis zu 7 Jahre

◀ Im Winterschlaf – die Schnauze unter dem Hinterleib, die Augen sind gerade noch zu erahnen. An dieser Stachelkugel scheitern fast alle Feinde.

Der Große Abendsegler
Mit Ultraschall auf Beutefang

Sie sind Geschöpfe der Nacht und entsprechen nicht gerade unseren Vorstellungen von „niedlich". Etwas suspekt ist auch, dass sie Säugetiere sind und dennoch fliegen können. Vielleicht sind das die Gründe, warum sich um Fledermäuse so manche Schauermärchen ranken. Dass die herzlich wenig mit der Wirklichkeit zu tun haben, beweist das Beispiel des Großen Abendseglers.

▪ In wie vielen Dracula-Verfilmungen hatten sie nicht schon ihren Auftritt als Vampire in Tiergestalt, von ihren effekthaschenden Einsätzen in düsteren Krimistreifen ganz zu schweigen. Dabei haben sich von den zahlreichen Arten der weltweit 16 Fledermausfamilien nur drei tatsächlich auf Tierblut spezialisiert. Keine von ihnen aber zählt zu den rund 40 europäischen und über 20 deutschen Arten.

So hat der Große Abendsegler mit Blut gar nichts im Sinn. Bei Sonnenuntergang startet er zur Jagd auf Insekten. Seine Augen braucht er dazu nicht, denn seine Beute ortet er mit einem genialen Echolot: Während er

▲ Keine Angst vor Fledermäusen: Mit ihren „Vampirzähnen" jagen sie Insekten.

▶▶ Links: Kopfunter hängend verschlafen sie den Tag. In der Dämmerung werden sie munter. Rechts: Gemeinsam im Tagesunterschlupf

gekonnt mit bis zu 60 Stundenkilometern durch die dunkle Nacht flattert, sendet er fortwährend Ultraschallwellen aus. Anhand des Echos, das von Insekten in der Umgebung zurückgeworfen wird, kann er Position, Entfernung, Flugrichtung und sogar Fluggeschwindigkeit seiner Beute bestimmen.

Wochenstuben mit Massenandrang

Im Sommer beziehen die Fledermäuse in kleinen Gruppen ihre Tagesquartiere. Das sind Baumhöhlen in Wäldern und Parks oder auch Hohlräume in Gebäuden und hinter Hausfassaden. An solchen Stellen richten die Weibchen auch ihre sogenannten Wochenstuben ein. Bis zu 100 Tiere ziehen dort ihre jeweils ein bis zwei, seltener drei Jungen groß – interessanterweise immer an den Orten, an denen sie selbst einmal zur Welt kamen. Die Fledermauskinder einer Mutter sind oft nur Halbgeschwister, denn im Jahr zuvor hat sich Mama von August bis Oktober mit mehreren Verehrern gepaart. Nach drei bis vier Wochen sind die kleinen Fledermäuse dann flugfähig.

Der Abendsegler mag keine Kälte: Er fliegt im Herbst über 1000 oder gar 2000 Kilometer zu seinen südlichen Winterquartieren. In Höhlen, Gebäuden, Felsspalten oder auch unter Brücken verschlafen die Tiere dort in großer Zahl die kalte Jahreszeit. Kopfunter hängend, mit angelegten Flügeln und mit „Frostschutz-System": Wird es den am Rand der Gruppe hängenden Flugmäusen irgendwann zu kalt, wachen sie auf und krabbeln in die wärmende Gruppenmitte.

Großer Abendsegler
(Nyctalus noctula)

KÖRPERMERKMALE
Gesamtlänge etwa 7-8 cm; Flügelspannweite 36-40 cm; Gewicht 15-42 g

NAHRUNG
Käfer wie Mai- und Junikäfer, Nachtfalter, Grillen, verschiedene Fliegenarten

ALTER
Unklar, vermutlich bis zu 10 Jahre

Der Waschbär
Neubürger auf dem Vormarsch

▲ In rasantem Tempo hat der Nordamerikaner unsere Wildbahn erobert.

▶▶ Links: Am Wasser jagt der Allesfresser besonders gerne. Rechts: Rund ein Jahr bleiben die Jungbären bei der Mutter.

Er kommt eigentlich aus Nordamerika und lebt noch gar nicht so lange bei uns. Der Waschbär zählt zu den sogenannten Neozoen, also Neubürgern unserer Tierwelt. Und es scheint ihm hier glänzend zu gefallen: Im Schutz der Nacht hat der drollig anmutende Allesfresser längst in weiten Teilen unseres Landes Einzug gehalten.

■ In den frühen 1940er-Jahren tauchten die ersten Exemplare in der freien Wildbahn auf. Sie waren vermutlich aus Gehegen und Pelzfarmen ausgebüxt. Etwa zur selben Zeit wurden zwei Paare in der Nähe des hessischen Edersees ausgesetzt. Die Tiere vermehrten sich fleißig und eroberten in rasantem Tempo die Republik.

Das Spektrum ihrer Lebensräume ist breit. Jenseits des Atlantiks leben die pummeligen Kleinbären mit der schwarzen Maske über den Augen sogar in Metropolen wie Washington, Chicago und Toronto. Es war also nur eine Frage der Zeit, bis eine ansehnliche Schar von ihnen auch die erste deutsche Großstadt bevölkerte: Kassel darf mit Fug und Recht in diesem Sinne als die „Stadt der Waschbären" gelten.

Einzelgänger im Dunkel der Nacht

Dass der Waschbär mit seiner weiten Verbreitung selbst Biologen immer wieder überrascht, liegt wohl auch an seiner „unsichtbaren" Lebensweise. Nur in der Dämmerung und nachts ist er aktiv. Tagsüber zieht er sich in die Höhlen alter Bäume zurück, auch in Steinbrüche, dichtes Gestrüpp oder in die Baue von Fuchs und Dachs.

In solchen Verstecken verbringt er auch seine Winterruhe. Schon bald danach beginnt im Februar die Paarungszeit, und nur dann kommen Bär und Bärin zusammen. Das Männchen begattet in seinem Revier meist mehrere Weibchen. Nach gut zwei Monaten Tragzeit bringen die Bärinnen in einem Versteck zwei bis vier, selten bis zu sechs unbehaarte und blinde Jungtiere zur Welt. Der Nachwuchs hängt recht lange an Mamas Schürzenzipfel und geht erst im folgenden Frühjahr seiner eigenen Wege.

Zu seinem Namen kam der Nachtschwärmer, weil er seine Nahrung vor dem Verzehr mit den Pfoten häufig ins Wasser taucht. Dieses Gebaren ist jedoch nur von gefangen gehaltenen Tieren bekannt. Heute vermuten Verhaltensforscher in dem vermeintlichen „Waschzwang" eine Instinkthandlung, mit dem solche Tiere ein natürliches Verhalten in freier Wildbahn ausleben: Dort suchen die Tiere häufig an Gewässerufern mit den Vorderpfoten nach fressbaren Kleintieren.

Waschbär *(Procyon lotor)*

KÖRPERMERKMALE
Gesamtlänge 65-90 cm (davon Schwanz 20-25 cm); Schulterhöhe ca. 25 cm; Gewicht 5-10 kg

NAHRUNG
Allesfresser: Regenwürmer, Insekten, Frösche, Fische, Mäuse und andere Kleinsäuger bis etwa Igelgröße, Vögel bis Entengröße. Vogeleier; Obst, Baumfrüchte, Nüsse, Getreide wie Hafer und Mais

ALTER
6-16 Jahre

Lebensraum
Seen und Flüsse

Wasser ist der Ursprung allen Lebens. Vor Jahrmillionen waren noch alle Organismen darauf angewiesen, bevor einige zu Landbewohnern wurden und andere in die Lüfte stiegen. Und bis heute können sie alle ohne Wasser auf Dauer nicht überleben. Mehr als Dreiviertel der Erde bedeckt es – in einem ewig währenden Kreislauf: gespeist aus den riesigen Ozeanen, ungezählten Bächen, Flüssen, Tümpeln und Seen. Wasser ist für viele Tiere ein wichtiger Lebensraum – ob murmelnd dahinplätschernd, erhaben strömend oder still ruhend: Frösche und Kröten beginnen ihren Werdegang als Kaulquappen in unseren Weihern und Seen, prächtige Libellen gehen an ihren Ufern auf Raubzug, Graureiher und Adler tun sich an Fischen gütlich, und auch der wendige Fischotter fühlt sich an Flüssen und Seen zuhause.

◀ Graureiher mit erbeuteter Rotfeder: Der schlanke Jäger ist ein Meister des Fischfanges.

Der Biber
Er staut das Wasser, wie's ihm passt

Im Bäumefällen macht ihm kein anderes Tier etwas vor. Beispiellos ist auch, was der Biber in Sachen Wasserbau zu Wege bringt. Der größte Nager unserer Wildbahn und sogar des ganzen Kontinents ist von der Natur für das Leben in Flüssen und Seen geschaffen. Er gestaltet sie ganz in seinem Sinne um.

▪ Bäume von bis zu 40 Zentimetern Durchmesser legt er mit seinen mächtigen Schneidezähnen locker in einer Nacht um. Über acht Zentimeter lang und fast einen Zentimeter breit können seine „Äxte" im Ober- und Unterkiefer werden. Sie wachsen ununterbrochen und schleifen sich gegenseitig ab. Dass der Nager damit für Kinderzahnpasta werben darf, verwundert daher nicht. In Wirklichkeit leuchten seine Beißerchen allerdings nicht strahlend weiß, sondern kräftig rot-orange. Das liegt an einer dicken Schmelzschicht, die den Zähnen die notwendige Härte verleiht.

Ein weiteres markantes Körpermerkmal des Wassernagers ist sein platter und mit einer haarlosen Hornhaut bedeckter Schwanz. „Biberkelle" wird

▲ Typisch, die „Biberkelle": Mit dem platten, haarlosen Schwanz manövriert sich der große Nager sicher durch Flüsse und Seen.

er genannt. Er übernimmt beim Schwimmen und Tauchen Antrieb und Steuerung. Nicht zuletzt sind auch die Schwimmhäute zwischen den Zehen der hinteren Pfoten sicheres Indiz für einen Wasserbewohner. Mit den Vorderpfoten hingegen hält der Biber Äste, Zweige und Nahrung fest. Da würden solche Häute nur stören.

Verspeisen oder verbauen

Die emsige Holzfällertätigkeit des Nagers dient einerseits der Nahrungsbeschaffung in Form von Rinde, Ästchen und Blättern. Mit dem gefällten Holz baut er andererseits aber auch seine Behausungen aus, wenn das nötig ist. Üblicherweise reichen ihm dafür einfache Erdbaue, die er oberhalb der Wasserlinie ins Ufer gräbt. Steht das Nass aber zu hoch und drohen ständig „feuchte Füße", erweitert der Biber diesen Erdbau mit Holzknüppeln, Zweigen und Lehm nach oben zu einer oft mächtigen Burg. In jedem Fall aber muss der Eingang des Domizils unter Wasser liegen, und auch sonst fühlt sich der Nager nur ab einer gewissen Wassertiefe wohl. Deshalb weiß er sich bei „Niedrigwasser" zu helfen: Er legt emsig regelrechte Staudämme an, um so „seinen Swimmingpool" wieder in Schuss zu bringen.

Biberpaare sind sich ein Leben lang treu und zeigen einen ausgesprochenen Familiensinn. Fünf bis zehn Tiere bewohnen einen einzelnen Bau: die Eltern und ihre jeweils meist zwei bis drei Kinder aus demselben Frühjahr und dazu noch der Nachwuchs aus dem Vorjahr. Einen Winterschlaf halten die baumverliebten Nager zwar nicht, für schlechte Zeiten sorgen sie aber dennoch vor. Im Herbst legen sie in der Nähe des Baus Nahrungsvorräte an.

Biber (Castor fiber)

KÖRPERMERKMALE
Gesamtlänge 1,1-1,4 m (davon Schwanz 30-35 cm); Schulterhöhe ca. 40 cm; Gewicht 20-35 kg

NAHRUNG
Rein pflanzlich: Knospen und junge Triebe von Weiden, Pappeln und anderen Weichhölzern, Schilf, Wasserpflanzen wie Wasserlilien und Seerosen; im Winter vor allem Baumrinde

ALTER
10-15 Jahre

▲ Ihre Staudämme können ganze Landschaften verändern.

◀ Nach harter Arbeit schmeckt's besonders gut. Ist ein Baum gefällt, munden die Blätter und Triebe ...

Der Grasfrosch
Sprunggewaltig und wandlungsfähig

Mit drei weiteren mitteleuropäischen Froscharten, die sich ebenfalls häufiger auf festem Boden als im Wasser aufhalten, zählt der Grasfrosch zu den „Braunfröschen". Das passt auch zu ihm, denn trotz individueller Farbvariationen sieht er eher braun aus als grasgrün.

■ An Land ist er häufiger, aber als waschechter Lurch kommt er auch im Wasser gut zurecht. Dabei scheint auch keine Rolle zu spielen, ob der Lebensraum dieses „Europäers" auf Meeresniveau liegt oder – wie in Südtirol und in den Pyrenäen – auf fast 3000 Metern. In solchen Höhen und bei großer Sommerhitze zieht es den Grasfrosch allerdings stärker in die Nähe von Gewässern. Dort sitzt er am Ufer und macht bei Störungen einen Riesensatz ins Wasser. Springen kann er dank seiner besonders stark entwickelten Hinterbeine vortrefflich: bis zu einem Meter weit, etwa dem Zehnfachen seiner eigenen Länge. Mit kräftigen Stößen dieses Beinpaares schwimmt und taucht er auch vorzüglich.

▲ Erwachsene Grasfrösche leben überwiegend an Land. Ihre braune Färbung tarnt sie dort sehr gut.

▶▶ Zur Paarung versammeln sich viele Tiere in den traditionellen Laichgewässern.

Frühzeitig und „explosiv" vermehrt er sich

Wie alle Amphibien durchläuft der Frosch während seines Werdegangs eine Metamorphose: Wie ein Fisch beginnt er seine Entwicklung im Wasser, um später zum Landgänger zu werden Am Anfang dieses Prozesses steht eine Massenwanderung: Grasfrösche sind „Frühlaicher" und machen sich in der Ebene schon im Februar oder März in Scharen zu ihren Laichgewässern auf, in den Alpen kann es Juni werden. Innerhalb von kurzer Zeit findet sich dann am auserwählten Gewässer eine beeindruckende Froschgesellschaft ein. Ihr Laichgeschäft wickeln sie als sogenannte Explosivlaicher in wenigen Tagen ab. Die Männchen sind jetzt von einem graublauen Farbhauch überzogen, der an den zwei „Schallblasen" unter der Kehlhaut besonders intensiv ist. Mit ihnen produzieren sie leise Brummgeräusche, um Weibchen anzulocken.

Eier in Massenproduktion

Ihre Paarung vollziehen die Tiere im Wasser. Die Männchen klettern auf die Rücken der Weibchen und klammern sich mit den Vorderbeinen an der „besseren" beziehungsweise „unteren" Hälfte fest. Beide geben dann zeitgleich Eier und Sperma ab. Die gallertig verklumpten Eier schwimmen an der Wasseroberfläche, meist in Ufernähe. Ein Weibchen legt in der Regel nur einen, selten zwei Laichballen ab. Zwischen 700 und 4000 schwärzliche Eier kann so ein Ballen enthalten, mehrheitlich sind es zwischen 1000 und 2500 Stück. Die Frösche wandern bald nach dem Laichen wieder ab, um an gewohnten Orten den Sommer zu verbringen.

Grasfrosch (Rana temporaria)

KÖRPERMERKMALE
Gesamtlänge 7-11 cm; Gewicht 25-55 g (Weibchen etwas größer und schwerer als Männchen)

NAHRUNG
Verschiedene Insekten wie Käfer oder Heuschrecken; daneben Spinnen, Asseln, Tausendfüßer

ALTER
5-10 Jahre

Aus den Eiern schlüpfen zunächst winzige Kaulquappen von einigen Millimetern Länge. In den kommenden Wochen wachsen sie im Wasser auf knapp fünf Zentimeter Länge heran. Zunächst entwickeln sich die Hinterbeine, dann bilden sich der Schwanz und die Kiemen zurück. Nach der Metamorphose zum lungenatmenden Landtier verlassen die Jungfrösche zwischen Juni und Oktober in Massen ihre Geburtsgewässer. Manchmal aber reicht die Zeit nicht ganz für eine vollkommen abgeschlossene Entwicklung. Dann überwintern die anpassungsfähigen Tiere einfach im jeweiligen Entwicklungsstand.

Viel Feind, wenig Ehr'

Grasfrösche ernähren sich von Schnecken, Würmern, Spinnen und Insekten. Ihnen selbst aber mangelt es auch nicht an Fressfeinden: Weiß- und Schwarzstorch, Schreiadler, Mäusebussard, Rot- und Schwarzmilan sowie Waldkauz und Schleiereule sind nur einige von etwa 20 europäischen Vogelarten, in deren Nahrung die Frösche nachgewiesen wurden. Sehr junge Frösche müssen sich sogar vor Amseln in Acht nehmen! Auch Wildschwein, Fuchs, Dachs, Iltis und Wanderratte schätzen einen Grasfrosch-„Snack" – nicht zu vergessen die Ringelnatter und Raubfische wie die Forelle.

Haben die Lurche den Sommer trotzdem schadlos überstanden, überwintern sie in Erdlöchern oder unter Wasser. Wenn eine zugefrorene Wasseroberfläche sie daran hindert, gelegentlich aufzutauchen und Luft zu holen, kostet sie das nur ein breites Froschlächeln: Dank ihrer Fähigkeit, über die Haut und die Mundschleimhäute Sauerstoff aus dem Wasser aufzunehmen, überstehen sie solche Phasen problemlos. In eine wirkliche Winterstarre mit völliger Regungslosigkeit verfallen Grasfrösche nur bei extrem tiefen Temperaturen.

▲ Oben: Paarung im Wasser.
Unten: Aus diesen Kaulquappen werden in den nächsten Monaten „echte" Frösche.

Die Gelbbauchunke
Wasserverliebtes „Rühr-mich-nicht-an!"

Anders als der Grasfrosch mag sie nicht ohne Wasser sein. Ehemals war die Gelbbauchunke typisch an kleinen Gewässern, die nach Überschwemmungen in Bach- und Fluss-Auen vorübergehend entstanden. Heute weicht sie häufig auf Pfützen und andere Wasserlachen – zum Beispiel in Traktorspuren – aus oder auf kleine Wassergräben. Solche Gräben sind meist ohne Pflanzenbewuchs und damit frei von Nahrungskonkurrenten und Feinden. Die Unke lebt vor allem im Hügel- und Bergland und ist dort häufig in Steinbrüchen und Kiesgruben anzutreffen.

Anfassen verboten!

Oberseits ist die kleine „Feuerkröte", wie Unken früher auch hießen, unscheinbar gräulich braun und voller Warzen – schwer vorstellbar, dass sich dahinter ein ungeküsster Prinz verbirgt. Auf ihrer Unterseite hält sie dann, was der Name verspricht. Grellgelbe Flecken und Streifen kontrastieren dort lebhaft mit schwarzen Zonen. Diese Zeichnung soll Angreifer vor dem Gift warnen, das die Feuerkröte wie alle Unken über ihre Hautdrüsen absondert. Droht Gefahr, drückt sie das Kreuz durch und biegt ihre Beine nach oben, sodass die Ränder des Bauches und der Beinunterseiten sichtbar werden. „Kahnstellung" oder „Unkenreflex" nennen Verhaltensforscher diese Abwehrstellung. Das Hautsekret ist für Menschen zwar ungefährlich, aber durchaus unangenehm: Es reizt die Augen oder die Mundschleimhaut stark, wenn es über die Hände dorthin gelangt.

Gelbbauchunke
(Bombina variegata)

KÖRPERMERKMALE
Gesamtlänge 3,5-5 cm;
Gewicht 7-12 g

NAHRUNG
Käfer, Heuschrecken sowie andere Insekten und deren Larven; Asseln, Würmer, Spinnen und Nacktschnecken

ALTER
Bis zu 8 Jahre

▲ Rufendes Unkenmännchen. Ob es erhört wird …?

◀ Von oben betrachtet gut getarnt: Die gelbe Unterseite ist nicht sichtbar.

Der Graureiher
Sushi ist sein Leibgericht

Wer den hoch aufgeschossenen Vogel auf seinen langen, dünnen Beinen umherstolzieren sieht, wundert sich kaum, dass er zu den „Stelz-" oder „Schreitvögeln" gehört. Beobachten kann man den Schlaks bei uns so häufig wie keine andere Reiherart. Sein Appetit auf Fisch ist schier unersättlich und das stößt nicht überall auf ungeteilte Begeisterung.

■ Der Graureiher ist bei uns ganzjähriger Stammgast. Nur wenige Tiere, vor allem aus der Mitte und dem Süden Deutschlands, suchen im Winter wärmere Gefilde rund ums Mittelmeer auf. Die meisten Tiere aber halten uns die Treue. An seichten, kleinen Tümpeln und Teichen mit dichtem Pflanzenbewuchs ist der schlaksige Graue mit den schicken schwarzen Schmuckfedern am Hinterkopf besonders gerne unterwegs. Längst aber kann man ihn auch an fast allen anderen Gewässern und sogar in Städten beobachten: Seit er nämlich in den 1970er-Jahren unter Schutz gestellt wurde, nahm der Bestand mächtig zu und der Graureiher eroberte immer mehr Lebensräume.

▲ Geduldsspiel: Nahezu regungslos lauert der Graureiher auf Beute.

▶▶ Links: Fisch ist seine Leibspeise.
Rechts: Baum-WGs bevorzugt – eine Brutkolonie aus zahlreichen Paaren

Nach der Balz Ende Februar, Anfang März ziehen die Vögel ihren Nachwuchs in Kolonien an traditionellen, mitunter jahrzehntelang genutzten Standorten auf. Ihre Nester bauen sie in Baumwipfeln. In den Kolonien geht es dabei recht laut zu, da sich die Paare gerne unter großem Gezeter gegenseitig das Nistmaterial streitig machen. Tauchen zum Beispiel aber Krähen auf der Suche nach einem „Eier-Happen" auf, besinnen sie sich auf die Stärke einer Gemeinschaft und wehren den unerwünschten Besuch in Teamarbeit ab.

Dramatische Kindersterblichkeit

Männchen und Weibchen finden sich für eine Brutsaison zusammen. An der Aufzucht der drei bis fünf Jungen beteiligen sich beide. Dennoch sind die Verluste unter den Jungreihern groß: In manchen Jahren überleben bis zu 70 Prozent von ihnen nicht die ersten Lebenswochen.

Wie seine „Stelzvogel-Verwandten", die Störche, jagt der Graureiher auf zwei Weisen: Entweder angelt er sich seine Beute bei der staksigen Pirsch oder er wartet regungslos auf den geeigneten Moment, blitzschnell mit seinem Schnabel zuzustoßen. Am liebsten jagt er im und am Wasser nach Fischen, Fröschen, Molchen und Wasserinsekten oder auch Schermäusen. Häufig aber stellt er in Wiesen Mäusen nach. Gelegentlich lässt er dann auch Vogeleier oder Jungvögel „mitgehen". Dass er sich freudig an den reich gedeckten Tisch begibt, den ihm ungenügend gesicherte Fischzuchtteiche bieten, liegt in seiner Natur. Das aber stößt bei den betroffenen Fischwirten auf wenig Begeisterung ...

Graureiher *(Ardea cinerea)*

KÖRPERMERKMALE
Gesamtlänge 84-98 cm, Flügelspannweite 160-180 cm, Gewicht 1,5-2 kg

NAHRUNG
Frösche, Fische, Molche und Wasserinsekten, Scher- und Feldmäuse, gelegentlich Eier und Jungvögel

ALTER
20-25 Jahre

Der Lachs
Rückkehr des „verlorenen Sohnes"

Lange verband man das Vorkommen des Lachses mit unberührter Wildnis in Skandinavien, Kanada oder Alaska. Dass der Atlantische Lachs noch vor gut einem halben Jahrhundert aber auch den Rhein und dessen Zuflüsse hinaufstieg, entzog sich unserer Vorstellung. Und doch tut er genau das heute wieder.

■ Biologen sind hocherfreut. Der Lachs schwimmt wieder im Rhein und seinen Nebenflüssen. Das „Lachsprojekt 2000", das bereits 1987 gestartet wurde, machte dieses kleine Wunder möglich. Die Wasserqualität vieler Flüsse stieg in den vergangenen Jahren dank moderner Kläranlagen erheblich. Auch helfen Fischtreppen dem Lachs nun, ehemals unüberwindliche Wehre und Stausysteme zu meistern. Zusätzlich wurden über acht Millionen Junglachse ausgesetzt, um sie wieder bei uns heimisch zu machen. Denn die Fische kehren zum Laichen immer in den Fluss ihrer eigenen Kindheit zurück. 1995 stiegen so erstmals wieder Lachse bis nach Iffezheim in den Oberrhein auf. Dort soll dem Lachs eine weitere Fischtreppe ermöglichen, noch weiter den Strom hinaufzugelangen.

Atlantischer Lachs
(Salmo salar)

KÖRPERMERKMALE
Gesamtlänge 0,5-1,0 m, ausnahmsweise bis zu 1,5 m; Gewicht 1,5-10 kg, ausnahmsweise bis zu 40 kg

NAHRUNG
Junglachse anfangs Kleinkrebse und Insekten, später Garnelen und Fische aller Art

ALTER
4-6 Jahre

Zum Laichen kommen die Lachse aus dem Meer in die Flüsse – und es gehört schon einiges dazu, um sie daran zu hindern. Ihr Fortpflanzungstrieb ist so stark, dass sie sich Hunderte von Kilometern gegen die Fluss-Strömung vorankämpfen und dabei Stromschnellen, ja sogar kleine Wasserfälle in riesigen, bis zu drei Meter hohen und fünf Meter weiten Sätzen überwinden.

Die Forellen
Sauberes Wasser bevorzugt

Zu unseren heimischen Forellen im engeren Sinne zählen Meer-, See- und Bachforelle. Ein nordamerikanischer „Dauergast" ist seit langer Zeit die Regenbogenforelle.

Die im Alter silbrig glänzende Meerforelle kommt unter anderem auch in Nord- und Ostsee vor. Bis sie geschlechtsreif ist, unternimmt sie wie der Lachs ausgedehnte Wanderungen durchs Meer, um dann zum Laichen weit bis in kleine Flüsse hinaufzusteigen. Ausschließlich im Süßwasser leben dagegen See- und Bachforelle.

Die silberne Seeforelle kann für einen reinen Süßwasserfisch gewaltige Ausmaße erreichen. Mehr als einen Meter lange und über 27 Kilogramm schwere Exemplare wurden schon gefangen. Meist geben sie sich aber bescheidener und kommen über immer noch beeindruckende 80 Zentimeter Länge und fünf Kilogramm Gewicht nicht hinaus. Seeforellen leben in Seen und stehen oft tief auf deren Grund.

Die wunderschön schwarz und rot getupfte Bachforelle, „unsere" Forelle schlechthin, lebt dagegen nur in Fließgewässern. Bei Weitem aber nicht in allen und auch nicht von der Quelle bis zur Mündung. An die Wasserqualität stellt sie nämlich hohe Ansprüche. Wo es ihr gefallen soll, muss das Wasser noch klar und sauber sein. Und selbst dann besiedelt „die Rotgetupfte" nur quellnahe und kühle Abschnitte, die ausreichend mit Sauerstoff versorgt sind.

Die Regenbogenforelle ist kein „Forellenfisch" wie ihre drei Verwandten, sondern streng genommen ein „Pazifischer Lachs". Um sie züchten und die Gaumen des englischen Königshauses entzücken zu können, verfrachtete man sie einst aus Nordamerika in den Westen der „alten Welt". Schon bald gelangte sie als Angelfisch in zahlreiche Freigewässer. Sie hat weniger rote Tupfen als die Bachforelle, dafür aber einen rötlich violetten Schimmer auf den Flanken, dem sie ihren Namen verdankt. Heute ist der pazifische Dauergast bei uns weit verbreitet. Die Regenbogenforelle stellt nicht ganz so hohe Ansprüche an die Qualität des Wassers wie die Bachforelle und kommt auch in etwas wärmerem Wasser besser zurecht als jene.

◀◀ Kaum etwas kann Lachse aufhalten, wenn sie zur Fortpflanzung aus dem Meer in die Flüsse hinaufwandern.

▼ Ähnlich, und doch verschieden. Von oben nach unten: Meerforelle, Seeforelle, Bachforelle und Regenbogenforelle

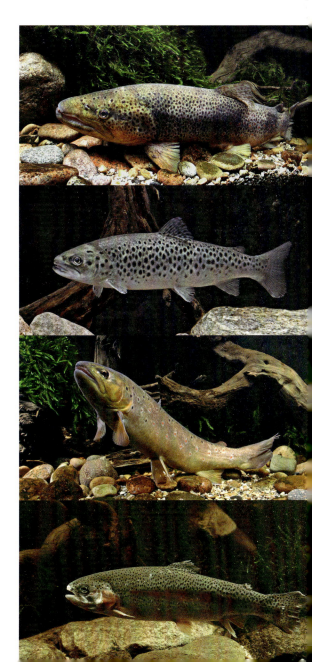

▲ Knapp über dem Wasser: der rasante Fischjäger im Einsatz

Der Fischadler
Kein Fisch ist ihm zu glitschig

Wo er ist, sind auch fischreiche Gewässer in der Nähe, egal ob See oder Meer. Aus ihnen „angelt" er sich gekonnt mit seinen Fängen seine Lieblingsspeise heraus. Mit mehreren Unterarten ist der Fischadler fast auf der ganzen Erde verbreitet. Bei uns brütet er im Norden des Landes – heute wieder häufiger als in den vergangenen Jahrzehnten.

■ In den 1950er-Jahren wurde der Fischadler unter Schutz gestellt – da aber war der vermeintliche „Schädling" vielerorts schon ausgerottet. Die verbliebenen Vorkommen litten dann stark unter dem Insektengift DDT. Es hemmte oder verhinderte ihre Fortpflanzung. Seit dem Verbot des Giftes vor gut 30 Jahren steigen die Fischadlerzahlen wieder – langsam zwar, aber spürbar.

So kann man den Vogel vor allem im Nordosten unseres Landes mit etwas Glück wieder jagen sehen. Das tut er von einer Warte aus oder im niedrigen Flug über dem Wasser. Hat er einen Fisch im Visier, rüttelt

er kurz turmfalkenähnlich in der Luft, bevor er sich mit vorgestreckten Klauen auf ihn stürzt. Wenn er die Beute zu fassen bekommt, hebt er sie nach einer kurzen „Verschnaufpause" aus dem Wasser und transportiert sie – große Fische „aerodynamisch" mit dem Kopf voran – zum Horst oder einem Fraßplatz. Etwas verschwenderisch ist der Adler schon: Meist frisst er nur Kopf und Vorderkörper seiner Beute. Den Rest lässt er dann achtlos fallen. In seltenen Ausnahmefällen schlägt der Jäger der Lüfte auch Säuger, kleine Vögel, kleine Reptilien oder sogar Krebse.

Nest auf Kiefern und Strommasten

Fischadler brüten meist allein, manchmal aber auch in lockeren Kolonien. Sie verpaaren sich ausschließlich mit einem Partner für eine Brutsaison. Da beide Vögel sehr an ihrem Brutplatz hängen, erneuern sie den Bund im nächsten Jahr aber oft wieder. Ihre Horste errichten sie auf Bäumen, vorzugsweise Kiefern, nicht selten aber auch auf den Masten von Überlandstromleitungen. Die mehrjährig benutzten Nester können im Lauf der Zeit beachtliche Ausmaße annehmen. Beide Partner brüten im Wechsel auf den meist zwei bis vier Eiern. Mit 50 bis 55 Tagen sind ihre Jungen flügge.

Unsere Fischadler sind Zugvögel und verlassen ab August das Brutgebiet. Ihre Winterquartiere beziehen die meisten Vögel südlich der Sahara in Afrika und in Süd- und Südostasien. Einige Tiere überwintern auch in der Mittelmeerregion.

Fischadler
(Pandion haliaetus)

KÖRPERMERKMALE
Gesamtlänge 55-65 cm; Flügelspannweite 145-175 cm; Gewicht 1-1,5 kg

NAHRUNG
Fast ausschließlich Fische, sehr selten auch wassergebundene kleine Säuger wie Schermäuse und Bisamratten, verletzte und geschwächte Vögel, kleine Reptilien, Krebse

ALTER
20-25 Jahre

◀ Kopf voraus: Der Fischjäger weiß, wie sich so eine gewaltige Beute kräfteschonend durch die Luft transportieren lässt.

▼ Ein Bild mit Symbolkraft. Der ehemals sehr seltene Fischadler ist wieder im Aufwind.

Der Seeadler
Alles im Griff

Er ist sogar noch größer und schwerer als der Steinadler (S. 76) und kann sich mit dessen majestätischer Erscheinung durchaus messen. Der Seeadler lebt in den Küstenlandschaften an Nord- und Ostsee und ist dort das ganze Jahr über zu sehen. Über 500 Brutpaare des stolzen Adlers soll es heute bei uns wieder geben.

Wie der deutlich kleinere Fischadler jagt er vor allem geschuppte Flossenträger – aber gerne auch Wasservögel. Säugetiere dagegen greift er nur selten an. Auch für Aas ist er sich nicht zu schade. Sein Jagdverhalten ist variantenreich. Stundenlang kann er geduldig von einem Aussichtspunkt am Ufer aus auf den richtigen Moment zum Zuschlagen warten. Tote oder fast tote Fische sammelt er einfach von der Wasseroberfläche auf. Dicht unter der Wasseroberfläche stehende Schuppenträger schnappt er sich gleichsam im Vorbeifliegen. Greift er sich im ufernahen Flachwasser einen wirklich „dicken Fisch" von einigen Kilogramm Gewicht, bleibt er oft minutenlang mit ausgebreiteten Schwingen auf dem Wasser liegen und hält die Beute fest.

Retten sich Wasservögel, indem sie wegfliegen, hat der relativ schwerfällige Seeadler keine Chance. Anders ist das bei geschwächten Tieren und Vögeln, die – wie manche Enten, Taucher oder Blesshühner – ihr Heil unter Wasser suchen. Ihnen setzt der Adler mitunter so lange zu, bis sie nach ständigen Tauchgängen völlig erschöpft sind und so zur leichten Beute werden.

Seeadler *(Haliaeetus albicilla)*

KÖRPERMERKMALE
Gesamtlänge 76-92 cm; Flügelspannweite 1,9-2,5 m; Gewicht 3,7-6,9 kg

NAHRUNG
Fische und Wasservögel bis zur Größe eines Graureihers, seltener Säugetiere bis Fuchsgröße

ALTER
10-20 Jahre (ausnahmsweise über 30 Jahre)

▲ Wie ein Brett liegen die mächtigen Schwingen in der Luft.

◄ Ausstrahlung der Entschlossenheit und vollendete Schönheit – diesen Augen entgeht nichts …

▼ Seeadler führen immer wieder auch erbitterte Auseinandersetzungen um Beute und nahrungsreiche Reviere.

Mosaikjungfer und Prachtlibelle

Schillernde Schönheiten auf mörderischer Patrouille

▲ Frisch geschlüpftes Weibchen, das sich noch an der Larvenhaut festhält.

Im schier unübersehbaren Reich der Insekten gehören die filigran gebauten Libellen zweifelsohne zu den schönsten. Zerbrechlich und verletzlich wirken sie und rauben doch anderen Insekten das Leben. Und selbst vor Kannibalismus schrecken viele Arten nicht zurück.

■ Zu den „Edellibellen" zählen die Mosaikjungfern, und das sagt schon einiges. Mit Flügelspannweiten zwischen acht und elf Zentimetern sind sie recht groß. Eine der häufigsten unter ihnen und über große Teile Europas verbreitet ist die Blaugrüne Mosaikjungfer. Von Juli bis Oktober kommt diese wunderschöne Libelle an stehenden Gewässern aller Art vor. Dazu

▲ Strahlende Schönheit – und doch ein gnadenloser Insektenräuber ...

zählen neben natürlichen Tümpeln auch Gartenteiche und mitunter sogar Mini-Gewässer wie Regentonnen.

Sie definieren das Fliegen neu

Ihre beiden hauchdünnen Flügelpaare zeigen eine Besonderheit, die für Libellen typisch ist: Das Insekt kann sie völlig unabhängig voneinander bewegen und ist deshalb zu erstaunlichen Flugmanövern fähig. Blitzschnell kann es die Flugrichtung ändern, an einer Stelle in der Luft stehen bleiben und sogar rückwärts fliegen. Auf festen Bahnen „patrouilliert" so die Blaugrüne Mosaikjungfer am Gewässer entlang und sucht aktiv nach Beute: Mücken, Fliegen und andere Fluginsekten, oft auch andere Libellenarten, fängt sie im Flug.

Die männlichen Tiere besetzen ein Revier und verteidigen es gegenüber Rivalen. Haben sie eine Partnerin erspäht, beginnt die Paarung in der Regel am Boden und endet hoch oben in den Baumkronen. Nach einem „Vorspiel" packt der forsche Galan das Weibchen mit einer Zange an seinem Hinterleib hinter dem Kopf. Das „ergriffene" Weibchen biegt sich dann im Flug nach vorne, um mit seiner Geschlechtsöffnung, die am Hinterleibsende sitzt, den Samenbehälter des Männchens zu berühren. Da der Libellenmann diese seine „Männlichkeit" aber am Anfang des eigenen Hinterleibs trägt, entsteht so das libellentypische „Paarungsrad". Bis zu zehn Minuten kann die Vereinigung dauern.

Das Weibchen legt 20 bis 30 Eier in kleine Löcher, die es mit seinem Legestachel knapp unterhalb der Wasseroberfläche in Pflanzen sticht. Daraus schlüpfen kleine Larven, die ebenfalls ein räuberisches Dasein führen – wenn auch im Wasser, wo sie anderes Getier bis zur Größe von Kaulquappen erbeuten. Nach zwei, manchmal drei Jahren ist die Entwicklung zur fertigen Libelle abgeschlossen. Die lebt dann allerdings nur noch ein paar Wochen.

Blaue Bänder auf den Flügeln

Eine unserer schönsten Libellen überhaupt ist die Gebänderte Prachtlibelle. Mit rund sieben Zentimetern Flügelspannweite gehört sie zu den Kleinlibellen. Die Männchen schimmern metallisch blau, die Weibchen überwiegend grünlich. Den dunkelblauen Bändern auf den Flügeln der männlichen Tiere verdankt die Art ihren Namen.

Das herrliche Insekt ist bei uns leider nicht mehr sehr häufig und gilt als gefährdet. Es lebt vor allem an den langsamer fließenden Mittel- und Unterläufen von Bächen und Flüssen, wenn diese gut besonnt sowie möglichst zugewachsen und verkrautet sind.

Fliegt ein Weibchen in das Revier eines Männchens, fängt das regelrecht zu balzen an: In einem auffälligen Schwirrflug fliegt es der anvisierten Dame entgegen und präsentiert dabei stolz den hochgebogenen Hinterleib und dessen weiße Spitze – ein Signal, dass unmissverständlich die Absicht des Draufgängers anzeigt ...

▼ Oben: Die Prachtlibelle hat wie alle Libellen eine geniale Flugtechnik. Unten: Auch sie ist von graziler Schönheit

Die Wasseramsel
Wie ein Fisch mit Federn

Den „Knicks" hat sie nicht erst von Knigge, dem Altmeister für gutes Benehmen, lernen müssen – er ist ihr vielmehr angeboren. Und wie vieles im Leben der Wasseramsel, ist auch ihr wippendes Auf und Nieder Ausdruck einer perfekten Anpassung an das Leben mit dem nassen Element.

■ Der lustig wirkende Vogel mit dem kurzen Schwänzchen lebt am liebsten an den klaren und sauerstoffreichen Oberläufen von Bächen und Flüssen. Gelegentlich bekommt man die Wasseramsel aber auch weiter abwärts zu Gesicht. Hat sie sich erst einmal „ein Stück" Bach oder Fluss ausgewählt, bleibt sie ihm treu. Zumindest, solange das Wasser eisfrei bleibt. Friert es zu, wandert sie gezwungenermaßen ab.

Mit der bekannten schwarzen oder braunen Amsel, die wir aus den Vorgärten und dem Wald kennen, ist der Vogel mit dem auffälligen schneeweißen Feld über Brust und Kehle nur weitläufig verwandt. Dennoch bekam er aufgrund der äußeren Ähnlichkeit seinen Namen verpasst.

▲ Reißende und stürzende Bäche sind ihr Revier. Kaum ein Insekt ist dort sicher – weder über noch unter Wasser ...

▶▶ Gut versteckt im Halbdunkeln bauen die kleinen Vögel gemeinsam ihr kugelförmiges Nest.

Neugierig in jeden Winkel

Die Wasseramsel ernährt sich von zahlreichen Insekten, die ebenso wasserverliebt sind wie sie selbst. Dabei wendet sie verschiedene Jagdstrategien an: Im einfachsten Fall pickt sie ihre Beute einfach vom Uferboden, von Blättern oder von der Wasseroberfläche auf oder wendet gelegentlich auch einmal kleine Steinchen. Sie steckt den Kopf auch gerne ins flache Wasser und inspiziert dort den Untergrund – stehend oder schwimmend, denn Letzteres beherrscht sie aus dem Effeff. Zur wahren Meisterschaft aber bringt es das Vögelchen im Tauchen. Auch unter Wasser wendet es neugierig Steinchen am Grund und dreht mit dem Schnabel festsitzende Insekten regelrecht von ihrer Unterlage herunter. In der Luft jagt es allerdings sehr selten nach Insekten.

Mit der Treue hält es die Wasseramsel wie viele andere Vögel auch: Die ausgeprägte Bindung ans Revier führt dazu, dass oft auch der Partner über Jahre derselbe bleibt. Das Nest liegt in halbdunklen Mauerlücken und Nischen der Uferhänge, direkt über dem Wasser. Nicht selten legen die Weibchen schon Ende Februar vier bis sechs Eier. In der Regel brüten sie zweimal im Jahr. Und als echter Wasservogel beherrscht der Nachwuchs das Schwimmen schon, bevor er fliegen kann ...

Zurück zu den Knickbewegungen: Das auffällige Auf und Ab – gerne auf Steinen – dient vermutlich der Verständigung unter den Tieren. Laute allein reichen dazu häufig nicht aus, denn die geräuschvoll plätschernde Umgebung übertönt so manches.

Wasseramsel *(Cinclus cinclus)*

KÖRPERMERKMALE
Gesamtlänge 17-20 cm, Flügelspannweite 25-30 cm, Gewicht etwa 65 g

NAHRUNG
Wasserinsekten und deren Larven, kleine Krebstiere, seltener Wasserschnecken, kleine Fische und Fischeier

ALTER
8-10 Jahre

Der Flusskrebs
Krebsriese mit heikler Verwandtschaft

Unter den Krebsen der Süßgewässer ist er ein wahrer Gigant. Zu Hause ist er in Bächen, Flüssen und Seen. Einst war er dort zahlreich und landete oft als vorzügliche Delikatesse auf dem Essenstisch. Mittlerweile ist er jedoch zum Sorgenkind geworden, das bei uns strengen Schutz genießt.

■ Mit bis zu 20 Zentimetern Länge und den kräftigen Scheren ist der Europäische Flusskrebs – auch Edelkrebs genannt – eine respektable Erscheinung. Und doch bekommt man ihn nicht leicht zu Gesicht, denn er ist nur in der Nacht aktiv. Tagsüber zieht er sich in seine „Wohnhöhle" zurück. Diesen Unterschlupf gräbt er sich selbst in die Uferböschung, unter Steine oder Wurzeln. Auch wenn er dies hin und wieder in höheren Lagen tut, bevorzugt er doch die nährstoffreichen Gewässer der Niederungen. Dort nämlich wird es im Sommer sicher warm, und das ist wichtig für die Fortpflanzung: Nur wenn die Wassertemperatur für zwei bis drei Monate über 15 Grad steigt, können die Geschlechtsorgane der Tiere reifen. Und die brauchen sie nun einmal.

▲ Imposante Erscheinung: Die Scheren machen Eindruck ...

▶▶ Klares, frisches Wasser schätzt der Flusskrebs sehr.

Ein Brutkasten am Hinterleib

Wenn im Herbst das Wasser kälter wird, paaren sich die Edelkrebse. Das Männchen fasst mit seinen Scheren das meist kleinere Weibchen, dreht es kurzerhand auf den Rücken und heftet sein Samenpaket an dessen Geschlechtsöffnung. Zwei bis drei Wochen später klappt die Krebsdame ihren Hinterleib nach vorne und formt so einen fast geschlossenen Hohlraum. Ihre 50 bis über 300 Eier presst sie da hinein, und nun tun die Spermien des Männchens ihre Arbeit. Die befruchteten Eier trägt das Weibchen immer mit sich herum, bis daraus nach rund einem halben Jahr im Mai oder Juni die fast durchsichtigen, aber fertig entwickelten Krebslarven schlüpfen. Drei Jahre mit über einem Dutzend Häutungen vergehen, bis aus den Krebschen schließlich erwachsene und geschlechtsreife Edelkrebse geworden sind.

Die Tiere reagieren ausgesprochen empfindlich auf Wasserverschmutzung und haben seit vielen Jahrzehnten mit einer tückischen Krankheit zu kämpfen: mit der sogenannten Krebspest. Eingeschleppt und übertragen wurde diese tödliche Pilzinfektion von den amerikanischen Flusskrebs-Verwandten, allen voran dem Kamberkrebs. Vor etwa 150 Jahren gelangte er um der lieben Gaumenfreuden des Menschen willen nach Europa, später folgten noch der Signalkrebs und der Rote Amerikanische Sumpfkrebs. Ironie des Schicksals: Die „Amerikaner" verbreiten die Krebspest, sind aber selbst dagegen resistent …

Flusskrebs *(Astacus astacus)*

KÖRPERMERKMALE
Männchen: Gesamtlänge 15-20 cm;
Gewicht 350-380 g
Weibchen: Gesamtlänge 12-15 cm;
Gewicht ca. 200 g

NAHRUNG
Würmer, Insekten, Schnecken, Muscheln, kleine Fische, kleinere Krebse und Aas; die Jungkrebse vor allem auch pflanzliche Nahrung aller Art

ALTER
15-20 Jahre

Der Fischotter
Wendiger Wassermarder

Könnten Fische neidisch sein, wären es so manche wohl auf den Fischotter – wegen seiner Schwimm- und Tauchkünste. Mit dem landlebenden Steinmarder (S. 118) und dem Dachs (S. 38) ist er zwar verwandt, hat sich aber dennoch das Wasser als Lebensraum ausgesucht. Dort jagt er möglichst stressfrei und holt sich das, was am leichtesten zu bekommen ist.

▲ Wendig und von beneidenswerter Leichtigkeit: an Land ebenso wie im Wasser

▶▶ Zur Paarungszeit macht Herr Fischotter der Dame seine Aufwartung. Die restliche Zeit des Jahres leben beide als Einzelgänger.

■ Kleine Fische mag er gerne – und am liebsten, wenn sie geschwächt und langsam sind. Das macht ihn zu einer Art Gesundheitspolizist. Aber auch andere Tiere im, am und auf dem Wasser sind vor dem Fischotter nicht immer sicher: Blesshühner, Enten, Nager, Frösche und Flusskrebse erbeutet er ebenso gerne. Wer so quirlig ist wie er, verbraucht viel Energie: Bis zu einem Kilogramm Nahrung vertilgt der „Wassermarder" deshalb täglich, immerhin knapp zehn Prozent seines Eigengewichts. So viel Beute gibt es nicht gleich „um die Ecke" und deshalb braucht er ein großes Revier. Auf einen Flussabschnitt von 30 bis 40 Kilometern Länge dehnt ein einziges Tier seine Beutezüge aus.

In zugewachsenen Uferbereichen und Überschwemmungszonen fühlt sich der Otter besonders wohl. Dass es immer weniger Gewässer mit dieser „Ausstattung" gibt, hat ihn mancherorts verschwinden lassen. Allzu wählerisch ist er aber nicht: Solange ein Süßgewässer sauber ist, ausreichende Mengen an Fisch sowie Versteckmöglichkeiten am Ufer bietet, kommt er zurecht. An manchen Küsten Nordeuropas lebt er sogar noch im Salzwasser.

Über fünf Minuten kann der elegante Schwimmer und Taucher unter Wasser bleiben. Den Schwimmhäuten zwischen den Zehen ist es zu danken, dass er sich dort bewegt wie ein „Fischotter im Wasser". Sein Fell – eines der dichtesten im ganzen Tierreich – schützt ihn dabei besser als jeder High-Tech-Taucheranzug vor Kälte und Nässe.

Trotz aller Wasserbegeisterung hochzeiten Fischotter fast immer an Land. Möglich ist das während des ganzen Jahres, meist geschieht es aber im Februar und März. Nur zur Paarung gesellen sich die Männchen zu den Weibchen – und ziehen nach wenigen Tagen und „getaner Pflicht" schnöde wieder ab. Das Weibchen bringt nach rund 60 Tagen Tragzeit ein bis vier Junge zur Welt. Der Nachwuchs lebt zunächst – anfangs noch blind – recht hilflos in einer hochwassersicheren Geburtshöhle. Erste Schwimmübungen absolviert er erst mit etwa sechs Wochen. Gesäugt wird er dann noch mindestens vier weitere Wochen lang. Auf eigenen Füßen stehen die jungen Otter mit frühestens acht Monaten.

Ein beispielhaftes Fischotter-Schutzprojekt hat die *Deutsche Wildtier Stiftung* 2004 im mecklenburgischen Biosphärenreservat Schaalsee mit den dort Verantwortlichen gestartet. Ein durchdachtes Maßnahmenpaket sorgt dafür, dass dem Fischotter dieser einzigartige Lebensraum so weit wie möglich zugänglich ist – und Gefahren wie zum Beispiel durch den Straßenverkehr minimiert werden.

Eurasischer Fischotter
(Lutra lutra)

KÖRPERMERKMALE
Gesamtlänge 1,1-1,3 m; Schulterhöhe 25-30 cm; Gewicht 6,5-12 kg (Männchen größer und schwerer als Weibchen)

NAHRUNG
Vor allem Fische; daneben Wasservögel bis Entengröße, Bisams, Schermäuse, Frösche und Krebse

ALTER
5-13 Jahre

Deutsche Wildtier Stiftung – Eine Stimme für unsere Wildtiere

Einheimische Wildtiere sind einzigartige Lebewesen und in ihren vielfältigen Anpassungen wahre Meisterwerke der Natur. Sie leben in vielen Fällen direkt vor unserer Haustür und sind heute mehr denn je ein wichtiger Teil unserer Lebensqualität. Doch viele Menschen wissen immer weniger über die Natur und damit auch über die Tiere unserer Heimat. Bei einer deutschlandweiten Umfrage konnte nur jeder dritte Grundschüler den Spatzen einwandfrei identifizieren – früher ein Allerweltsvogel, heute trotz seiner Nähe zum Menschen fast schon unbekannt. Die meisten Kinder kennen mehr Handy-Klingeltöne als Vogelstimmen. Auch bei Erwachsenen geht der Bezug zur Natur immer mehr verloren, und so halten viele das Reh für die Frau des Rothirsches und das Kaninchen für den kleinen Bruder des Feldhasen.

Dieser Entwicklung stellt sich die *Deutsche Wildtier Stiftung* entgegen – sie verleiht den wilden Tieren eine Stimme. Um Wildtiere zu retten und ihnen eine Zukunft zu geben, müssen wir ihre Lebensräume bewahren. Dieses Ziel können wir nur erreichen, wenn sich viele Menschen für die Natur einsetzen. Deshalb engagiert sich die Stiftung dafür, dass so viele Menschen wie möglich unsere Natur und unsere wilden Tiere erleben können. Denn was man kennt, das schützt man auch …

Wildtierland

Die Stiftung hat mit *Wildtierland* bei Klepelshagen im südöstlichen Mecklenburg-Vorpommern ein Paradies für Wildtiere geschaffen. Besucher sind hier jederzeit herzlich willkommen, Wildtiere in ihren natürlichen Lebensräumen zu beobachten. Zäune und Gehege wie in einem Tierpark gibt es nicht. Bei Ansitzen, Führungen und Spaziergängen können die Besucher Rehe und Rothirsche, Füchse und Hasen, Kraniche und Seeadler, Rotbauchunken, Dachse und Schwarzspechte sehen und natürlich auch hören. In der nahe gelegenen *Botschaft der Wildtiere* erfahren sie darüber hinaus viel Wissenswertes und Ungewöhnliches über sie.

Im *Haus Wildtierland* können Kinder und Jugendliche sogenannte Wildnis-Wochen verbringen. Sie lernen etwa, Schmetterlinge und Kröten zu bestimmen oder Fährten zu lesen – und wissen dann auch, von was sich Rothirsche ernähren, welche Kräuter man selbst sammeln und essen kann oder wie man Feuer macht. Ob für Kinder oder erwachsene Besucher: Immer geht es dabei darum, die Natur mit allen Sinnen zu erleben. Auch Übernachtungen sind im *Haus Wildtierland* möglich.

Wildtiere brauchen Freunde

Wildtierland ist nur ein Beispiel für die Stiftungsarbeit. Die *Deutsche Wildtier Stiftung* engagiert sich in zahlreichen Projekten bundesweit für viele heimische Wildtiere. Im

Oben rechts: Fischotter
Unten: Haussperling oder Spatz

Links: Rothirsch
Rechts: Schwarzspecht

Zentrum der Arbeit steht dabei immer der langfristige Schutz der Lebensräume wie bestimmte Waldbereiche, offenes Feldland oder Abschnitte an Flüssen und Seen. Denn nur in intakten Lebensräumen können Wildtiere wie die hier stellvertretend ausgewählten auch überleben:

Der seltene Schreiadler soll in Deutschland vor dem Aussterben bewahrt werden. Nur noch rund 100 Brutpaare ziehen jährlich in Mecklenburg-Vorpommern und Brandenburg ihre Jungen in tiefen, ungestörten Wäldern auf. Die Stiftung sichert Brutwälder und Nahrungshabitate, besendert die Tiere, um mehr über ihre Lebensweise zu erfahren, und kümmert sich um verlassene Jungvögel. Finanziell unterstützt wird sie dabei von der *Deutschen Bundesstiftung Umwelt* (DBU) und vom *Bundesamt für Naturschutz* (BfN) mit Mitteln des *Bundesministeriums für Umwelt, Naturschutz und Reaktorsicherheit*.

Der Schwarzspecht steht im Zentrum von Schutzprojekten in Mecklenburg-Vorpommern und Baden-Württemberg. Als „Zimmermann des Waldes" baut er große Baumhöhlen, die auch Lebensraum für viele andere stark bedrohte Tierarten sind. Die Stiftung markiert mit finanzieller Unterstützung von Baum-Paten diese Höhlenbäume, informiert die Waldbesitzer und Forstwirte und unterhält wissenschaftliche Forschungsprojekte.

In Niedersachsen, Mecklenburg-Vorpommern und Baden-Württemberg schafft die Stiftung Lebensräume für den faszinierenden und scheuen Schwarzstorch – aber auch für den flinken Fischotter und den heute selten gewordenen Feldhamster.

Mit bundesweiten Aktionen für den Spatzen (Haussperling) und dem „Spatzen-Reihenhaus" als Nisthilfe macht die Stiftung auf den bedrohlichen Rückgang des Haussperlings an vielen Orten in Deutschland aufmerksam. Der Spatz fungiert dabei gleichzeitig als Symbol für die Situation aller heimischen Vögel.

Der Rothirsch ist unser größtes heimisches Wildtier. Als Bewohner der Offenlandschaften leidet er besonders darunter, dass er heute meist in Waldgebiete zurückgedrängt und sein Lebensraum durch Straßen immer mehr zerschnitten und verkleinert wird. Die Stiftung hat für den Rothirsch deshalb ein Leitbild erarbeitet, das sie auf regelmäßig stattfindenden Rotwild-Symposien in die Diskussion mit Jagdverbänden sowie der Land- und Forstwirtschaft einbringt ...

Angebote für Kinder zur Bildung in Sachen Natur sind ein besonders wichtiger Teil der Stiftungsarbeit. Dazu gehören Wildtiererlebnisse für Schulklassen und Kindergärten in *Wildtierland* genauso wie Unterrichtsmaterialien, etwa die „Janosch Spatzenkiste", die nach dem bekannten Künstler benannt ist. Der „Forschungspreis der Deutschen Wildtier Stiftung" für wissenschaftliche Arbeiten im Bereich der Wildbiologie und der „Deutsche Preis für Naturjournalismus", der in Kooperation mit dem Magazin GEO verliehen wird, sind weitere Stiftungsaktivitäten.

INFORMATIONEN ÜBER DIE ARBEIT DER DEUTSCHEN WILDTIER STIFTUNG UNTER **040 73339-1880** ODER UNTER WILDTIERLAND@DEUTSCHEWILDTIERSTIFTUNG.DE ODER UNTER WWW.DEUTSCHEWILDTIERSTIFTUNG.DE

Register zu den Tierarten

Abendsegler, Großer 126
Alpenmurmeltier 72
Alpensteinbock 80
Alpenstrandläufer 88
Aquila chrysaetos 77
  - *pomarina* 43
Araneus diadematus 59
Ardea cinerea 139
Astacus astacus 153
Asterias rubens 97
Athene noctua 67
Atlantischer Lachs 140
Auerhuhn 74
Auster 98
Austernfischer 88

Bachforelle 141
Bären
  (Braunbär 28,
  Waschbär 128)
Biber 132
Bilche (Siebenschläfer) 112
Birkhuhn 75
Blaugrüne Mosaikjungfer 148
Bombina variegata 137
Brachvogel, Großer 64
Brandgänse 87
Braunbär 29
Braunbrustigel 124
Bubo bubo 40
Buntspecht 21
Butt 105

Canis lupus 23
Capra ibex 82
Capreolus capreolus 53
Castor fiber 133
Cervus elaphus 17
Ciconia ciconia 115
  - *nigra* 37
Cinclus cinclus 151
Corvus corax 79
Cricetus cricetus 61

Dachs 38
Dendrocopos major 21
Dryocopus martius 20

Eidechse (Zauneidechse) 48
Eiderente 87
Einsiedlerkrebs, Gemeiner 102
Erinaceus europaeus 125
Eulen (Uhu 40, Waldkauz 41,
  Steinkauz 66)

Eurasischer Fischotter 154
Europäischer Flussaal 106
Europäischer Flusskrebs 152
Europäischer Iltis 119

Falco peregrinus 111
  - *tinnunculus* 110
Feldhamster 60
Feldhase 46
Fischadler 142
Fischotter, Eurasischer 154
Fledermaus
  (Großer Abendsegler) 126
Flunder 105
Flussaal, Europäischer 106
Flusskrebs, Europäischer 152
Forellen 141
Frosch (Grasfrosch) 134
Fuchs (Rotfuchs) 32

Gämse 83
Gebänderte Prachtlibelle 149
Gelbbauchunke 137
Gemeiner Einsiedlerkrebs 102
Glis glis 113
Grasfrosch 134
Graugans 87
Graureiher 138
Greifvögel
  (Schreiadler 42, Stein-
  adler 76, Turmfalke 110,
  Wanderfalke 111, Fisch-
  adler 142, Seeadler 145)
Großer Abendsegler 126
Großer Brachvogel 64
Grus grus 68

Haliaetus albicilla 145
Halichoerus grypus 93
  - *grypus balticus* 95
Hase (Feldhase) 46
Haussperling (Spatz) 120
Hering 107
Hirsch (Rothirsch) 14
Hirschkäfer 30
Hornhecht 107

Igel (Braunbrustigel) 124
Iltis, Europäischer 119

Kampfläufer 89
Kanadagans 87
Kegelrobbe 93
Kiebitz 65

Knutt 87
Kolkrabe 78
Kranich 68
Krebse
  (Einsiedlerkrebs 102,
  Europäischer Fluss-
  krebs 152)
Kreuzotter 49
Kreuzspinne 58

Lacerta agilis 48
Lachs, Atlantischer 140
Lepus europaeus 47
Libellen
  (Blaugrüne Mosaik-
  jungfer 148, Gebänderte
  Prachtlibelle 149)
Lucanus cervus 31
Luchs 26
Lutra lutra 155
Lynx lynx 27
Lyrurus tetrix 75

Marmota marmota 73
Martes foina 118
Meerforelle 141
Meles meles 39
Mosaikjungfer, Blaugrüne 148
Murmeltier
  (Alpenmurmeltier) 72
Mustela putatoris 119

Numenius arquata 64
Nyctalus noctula 127

Ostrea edulis 99

Pagurus bernhardus 103
Pandion haliaetus 143
Papilio machaon 57
Passer domesticus 121
Perdix perdix 63
Phoca vitulina 91
Phocoena phocoena 101
Prachtlibelle, Gebänderte 149
Procyon lotor 129

Rana temporaria 135
Rebhuhn 62
Regenbogenforelle 141
Reh 50
Ringelgans 87
Rotfuchs 32
Rothirsch 14

Rupicapra rupicapra 83

Säbelschnäbler 88
Salmo salar 140
Schlange (Kreuzotter) 49
Schmetterling
  (Schwalbenschwanz) 56
Scholle 106
Schreiadler 42
Schwalbenschwanz 56
Schwarzspecht 20
Schwarzstorch 36
Schweinswal 100
Seeadler 145
Seeforelle 141
Seehund 90
Seestern 96
Seezunge 106
Siebenschläfer 112
Spatz (Haussperling) 120
Spechte (Schwarzspecht 20,
  Buntspecht 21)
Spinne (Kreuzspinne) 58
Steinadler 76
Steinbock (Alpensteinbock) 80
Steinkauz 66
Steinmarder 118
Störche (Schwarzstorch 36,
  Weißstorch 114)
Stryx aluco 41
Sus scrofa 19

Tetrao tetrix 75
  - *urogallus* 74
Turmfalke 110

Uhu 40
Ursus arctos arctos 28

Vanellus vanellus 65
Vipera berus 49
Vulpes vulpes 35

Waldkauz 41
Wanderfalke 111
Waschbär 128
Wasseramsel 150
Weißstorch 114
Wildschwein 18
Wolf 22

Zauneidechse 48

„Wir haben die Erde nicht von unseren Eltern geerbt, sondern nur von unseren Kindern geliehen."

(Indianisches Sprichwort, mutmaßlich von Wilhelm Busch bekannt gemacht)

Ganz in diesem Sinne widme ich dieses Buch den Kindern, die in meinem Leben eine besondere Rolle spielen, allen voran meinem Sohn Lucas und meiner Tochter Anne, die ihrem Vater das „Kinder" verzeihen mögen; außerdem Serge, Nicolai und Anne „Kaiserin" sowie Hannah und Antonia.

Ekkehard Ophoven

Impressum

Mit 238 Farbfotos: 106 von **K.-H. Volkmar** (S. 9, 11 o re, 12, 14, 15 o re und u, 16 o und u, 17 o und u, 18, 19 o und u, 21 o und u, 22, 23 o und u li und u re, 24/25, 26, 27 o und u li und u re, 28 o und u, 29, 31 o und u re, 32, 33 o und u, 34 o und u, 35 o und u, 36, 37 o und u li und u re, 38, 39 o und u li und u re, 40, 41 o und u, 46, 47 o und u, 50, 51 o und u, 52 o und u, 53 o und u, 54/55, 63 o re, 64 o und u, 65 o und u, 66, 67 o und u, 68, 69 o und u, 72, 73 o und u, 74, 75 o re und u li und u re, 76, 79 u li, 81, 82 o und u, 83 o und u, 88 o, 115 o und u, 116/117, 124, 125 o und u, 128, 129 o und u li und u re, 130, 133 o re, 138, 139 (alle 3), 145 u, 153 u, 154, 155 o und u, 159; 77 von **F. Hecker** (S. 11 o li und u, 48, 49 o und u, 56, 57 o und li und u re, 59 u re, 61 o re und u li und u re, 63 u, 84, 87 (alle 4), 88 mi und u, 89 (alle 3), 90, 91 o, 92, 93 o und u, 96, 97 o 98, 99 o und u, 101 o und u, 102, 103 o und u, 104, 105 o und u, 106 o und u, 107 o und u, 112, 113 o, 114, 118, 119 u, 121 o und u, 122 o, 133 mi, 134, 135 o und u, 136 o und u, 137 (alle 3), 141 (alle 4), 143 o, 148, 149 (alle 3), 150, 151 o und u, 152, 153 o); 4 von **Limbrunner / Hecker** (S. 110, 127 u li und u re, 132); 2 von **Mestel / Hecker** (S. 111 u, 145 o); 1 von **Buchhorn / Hecker** (S. 146/147); 26 von **blickwinkel** (S. 2, 10, 30, 31 u li, 43 u li und u re, 58, 60, 62, 71, 80, 91 u, 94/95, 97 u, 108, 111 o, 113 u li und u re, 119 o, 123, 127 o, 133 u, 140, 142, 143 u 145 mi); 10 von **T. Martin** (S. 8, 20, 44, 59 o re und u li, 78, 79 u re, 86, 122 u, 144); 3 von **D. Nill** (S.42, 120, 126); 1 von **O. Giel** (S. 77 o re); 1 von **F. Graner** (S. 100); 1 von **S. Danko** (S. 77 u); 1 von **S. Harvancîk** (S. 43 o); 5 von **Deutsche Wildtier Stiftung** (S. 156/157: alle 5)

Umschlaggestaltung von solutioncube GmbH, Reutlingen, unter Verwendung von: 2 Fotos von K.-H. Volkmar (Vorderseite: Luchs, *Lynx lynx*; Rückseite: Rothirsche, *Cervus elaphus*), 1 Foto von F. Hecker (Rückseite: Seeadler, *Haliaeetus albicilla*), 1 Foto von blickwinkel (Rückseite: Kegelrobbe, *Halichoerus grypus*)

Das Foto auf der Seite 2 zeigt einen männlichen Alpensteinbock (*Capra ibex*). Oben ist ein Rehbock (*Capreolus capreolus*) zu sehen.

Unser gesamtes lieferbares Programm und viele weitere Informationen zu unseren Büchern, Spielen, Experimentierkästen, DVDs, Autoren und Aktivitäten finden Sie unter www.kosmos.de

Gedruckt auf chlorfrei gebleichtem Papier

© 2009, Franckh-Kosmos Verlags-GmbH & Co. KG, Stuttgart
Alle Rechte vorbehalten
ISBN 978-3-440-11781-1
Projektleitung: Dr. Stefan Raps
Lektorat: Oliver Wichmann, Dr. Stefan Raps
Layout und Satz: solutioncube GmbH, Reutlingen
Produktion: Markus Schärtlein
Printed in Germany / Imprimé en Allemagne

KOSMOS.
Mehr wissen. Mehr erleben.

Den Wald ganz neu entdecken

Erkunden Sie die große Artenfülle – dieser Naturführer porträtiert 200 Pflanzen und 300 Tiere, die in unseren Wäldern zu finden sind. Mit interessantem Zusatzwissen: Wurzelformen der Bäume, Vergleich von Baumrinden, Verwendung verschiedener Hölzer und vieles mehr.

Dreyer/Dreyer | Der Kosmos Waldführer
384 Seiten, über 570 Fotos, €/D 14,95
ISBN 978-3-440-11755-2

Die schönsten Seiten der Natur

Hier finden Sie die Tiere, Pflanzen und Pilze, die Sie bei Spaziergängen und Wanderungen, in Haus und Garten sowie im Urlaub sehen – 900 Tiere und 1000 Pflanzen und Pilze in ihren natürlichen Lebensräumen. Alle Informationen zu Kennzeichen, Vorkommen und Wissenswertem.

Stichmann u. a. | Der große Kosmos-Naturführer Tiere und Pflanzen
896 Seiten, über 2.800 Fotos, €/D 14,95
ISBN 978-3-440-11657-9

Ein erzählter Waldspaziergang

Entdecken Sie Rothirsch, Fuchs, Hirschkäfer, Buntspecht und Co. Das Package bietet 2 CDs als erzählter Waldspaziergang durch die Jahreszeiten mit 66 Tierstimmen sowie einen Naturführer mit 140 Tieren und Pflanzen.

Hecker u. a. | Der Wald und seine Stimmen
2 CDs (ca. 2 Std.), Naturführer (96 S.), €/D 14,95
ISBN 978-3-440-10931-1

www.kosmos.de/natur